Andreas Steinhöfel wurde 1962 in Battenberg geboren, arbeitet als Übersetzer und Rezensent und schreibt Drehbücher – vor allem aber ist er Autor zahlreicher, vielfach preisgekrönter Kinder- und Jugendbücher, wie z.B. »Die Mitte der Welt«. Für »Rico, Oskar und die Tieferschatten« erhielt er u.a. den Deutschen Jugendliteraturpreis. Nach Peter Rühmkorf, Loriot, Robert Gernhardt und Tomi Ungerer hat Andreas Steinhöfel 2009 den Erich Kästner Preis für Literatur verliehen bekommen. 2013 wurde er mit dem Sonderpreis des Deutschen Jugendliteraturpreises für sein Gesamtwerk ausgezeichnet und 2017 folgte der James-Krüss-Preis.

Peter Schössow, Jahrgang 1953, gehört zu den renommiertesten deutschen Illustratoren. Er studierte an der Fachhochschule für Gestaltung in Hamburg und arbeitete unter anderem für Spiegel, Stern und Die Sendung mit der Maus. Er hat eine Vielzahl von Kinderbüchern verfasst und illustriert, für die er mehrfach ausgezeichnet wurde.

ANDREAS STEINHÖFEL

RICO, OSKAR UND DIE TIEFERSCHATTEN

MIT BILDERN VON PETER SCHÖSSOW

Für Gianni
... das ist von mir zu dir
genau wie umgekehrt
A. S.

MIX
Papier aus verantwor-
tungsvollen Quellen
FSC® C083411
FSC
www.fsc.org

Veröffentlicht im Carlsen Verlag
Copyright © 2008, 2011 Carlsen Verlag GmbH, Hamburg
Umschlag und Illustrationen: Peter Schössow
Umschlaggestaltung: formlabor nach der Vorlage von Peter Schössow
Layout: Peter Schössow
Corporate Design Taschenbuch: bell étage
ISBN 978-3-551-31029-3

Alle Bücher im Internet: www.carlsen.de

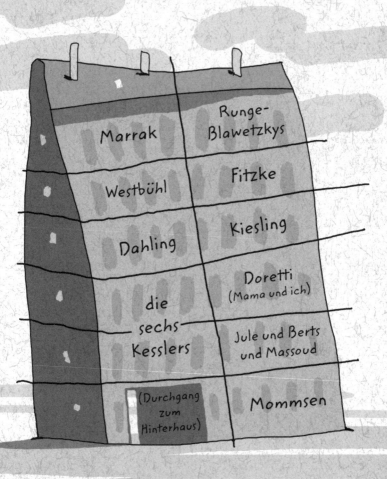

Marrak

Runge-
Blawetzkys

Westbühl

Fitzke

Dahling

Kiesling

Doretti
(Mama und ich)

die
sechs
Kesslers

Jule und Berts
und Massoud

(Durchgang
zum
Hinterhaus)

Mommsen

DIE FUNDNUDEL

Die Nudel lag auf dem Gehsteig. Sie war dick und geriffelt, mit einem Loch drin von vorn bis hinten. Etwas getrocknete Käsesoße und Dreck klebten dran. Ich hob sie auf, wischte den Dreck ab und guckte an der alten Fensterfront der Dieffe 93 rauf in den Sommerhimmel. Keine Wolken und vor allem keine von diesen weißen Düsenstreifen. Außerdem, überlegte ich, kann man Flugzeugfenster nicht aufmachen, um Essen rauszuwerfen.

Ich ließ mich ins Haus ein, zischte durch das gelbgetünchte Treppenhaus rauf in den Dritten und klingelte bei Frau Dahling. Sie trug große bunte Lockenwickler im Haar, wie jeden Samstag.

»Könnte 'ne Rigatoni sein. Die Soße ist auf jeden Fall Gorgonzola«, stellte sie fest. »Lieb von dir, mir die Nudel zu bringen, Schätzchen, aber ich hab sie nicht aus dem Fenster geworfen. Frag mal Fitzke.«

Sie grinste mich an, tippte sich mit dem Finger an den Kopf, verdrehte die Augen und guckte nach oben. Fitzke wohnt im Vierten. Ich kann ihn nicht leiden und eigentlich glaubte ich auch nicht, dass die Nudel ihm gehörte. Frau Dahling war meine erste Wahl gewesen, weil sie öfters mal was aus dem Fenster wirft, letzten Winter zum Beispiel den Fernsehapparat. Fünf Minuten später schmiss sie auch noch ihren Mann raus, den allerdings nur aus der Wohnung. Danach kam sie zu uns, und Mama musste ihr ein Schlückchen Gutes einschenken.

»Er hat eine Geliebte!«, hatte Frau Dahling verzweifelt erklärt. »Wenn die blöde Kuh wenigstens jünger wäre als ich! Schenken Sie mal nach!«

Weil die Glotze jetzt im Eimer und der Mann weg war, hatte sie sich am nächsten Tag zum Trost einen todschicken Flachbild-Fernseher und einen DVD-Player gekauft. Seitdem gucken wir uns zusammen manchmal einen Liebesfilm an oder Krimis, aber nur an den Wochenenden, wenn Frau Dahling ausschlafen kann. Unter der Woche steht sie bei Karstadt am Hermannplatz hinter der Fleischtheke. Sie hat immer ganz rote Hände, so kalt ist es da.

Während des Fernsehens essen wir Müffelchen mit Wurst und Ei oder Lachs. Bei Liebesfilmen schnieft Frau Dahling mindestens zehn Tempos voll, aber am Schluss schimpft sie dann immer los, von wegen, nun hätten der Kerl und die Frau sich also gekriegt und jetzt ginge das Elend erst richtig los, aber *das* würden die natürlich *nie* zeigen in den Filmen, so ein total verlogener Scheiß – noch ein Müffelchen, Rico?

»Bleibt es bei heute Abend?«, rief Frau Dahling mir nach, als ich rauf in den Vierten rannte, immer zwei Stufen auf einmal.

»Klar!«

Ihre Tür schlug zu und ich klopfte bei Fitzke. Man muss immer bei Fitzke klopfen, seine Klingel ist nämlich kaputt, vermutlich schon seit 1910, als das Haus gebaut wurde.

Warten, warten, warten.

Schlurf, schlurf, schlurf hinter der dicken Altbautür.

Dann endlich Fitzke in Person, wie üblich in seinem dunkelblauen Schlafanzug mit den grauen Längsstreifen. Sein Knittergesicht war voller Bartstoppeln und in alle Richtungen standen ihm die strähnigen grauen Haare vom Kopf ab.

Echt, so was Ungepflegtes!

Ein dumpfer, muffiger Geruch schlug mir entgegen. Wer weiß, was der Fitzke da drin lagert. In seiner Wohnung, meine ich jetzt, nicht in seinem Kopf. Ich versuchte, unauffällig an ihm vorbeizugucken, aber er versperrte die Sicht. Mit Absicht! Ich war schon in jeder Wohnung im Haus, nur in Fitzkes nicht. Er lässt mich nicht rein, weil er mich nicht leiden kann.

»Ah, der kleine Schwachkopf«, knurrte er.

Ich sollte an dieser Stelle wohl erklären, dass ich Rico heiße und ein tiefbegabtes Kind bin. Das bedeutet, ich kann zwar sehr viel denken, aber das dauert meistens etwas länger als bei anderen Leuten. An meinem Gehirn liegt es nicht, das ist ganz normal groß. Aber manchmal fallen ein paar Sachen raus, und leider weiß ich vorher nie, an welcher Stelle. Außerdem kann ich mich nicht immer gut konzentrieren, wenn ich etwas erzähle. Meistens verliere ich dann den roten Faden, jedenfalls glaube ich, dass er rot ist, er könnte aber auch grün oder blau sein, und genau das ist das Problem.

In meinem Kopf geht es manchmal so durcheinander wie in einer Bingotrommel. Bingo spiele ich jeden Dienstag mit Mama im Rentnerclub *Graue Hummeln*. Die Hummeln haben sich in den Gemeinderäumen der Kirche eingemietet. Ich hab keine Ahnung, warum Mama so gern dorthin geht, da treiben sich nämlich wirklich fast nur Rentner herum. Manche gehen, glaube ich, nie nach Hause, denn sie haben jeden Dienstag dieselben Klamotten an, so wie der Fitzke seinen einzigen Schlafanzug, und ein paar von ihnen riechen komisch. Vielleicht findet Mama es einfach nur toll, dass sie beim Bingo so oft gewinnt. Jedes Mal strahlt sie, wenn sie auf die Bühne geht und zum Beispiel so eine billige Plastikhandtasche abholt – eigentlich sind es fast immer billige Plastikhandtaschen.

Die Rentner kriegen das selten mit, viele von denen pennen nämlich irgendwann über ihren Bingokärtchen ein oder sind sonst wie nicht richtig bei der Sache. Erst vor ein paar Wochen saß einer von ihnen ganz ruhig am Tisch, bis die letzten Zahlen durch waren. Als die anderen gingen, stand er nicht auf, und als schließlich die Putzfrau ihn zu wecken versuchte, war er tot. Mama hat dann noch überlegt, ob er vielleicht schon den Dienstag zuvor gestorben war. Mir war er auch nicht aufgefallen.

»Tach, Herr Fitzke«, sagte ich, »ich hoffe, ich habe Sie nicht geweckt.«

Fitzke sieht noch älter aus als der Rentner, den es beim Bingo erwischt hat. Und echt schmuddelig. Angeblich lebt er selber auch nicht mehr lange, deshalb trägt er immer nur seinen Schlafanzug, sogar zum Einkaufen bei Edeka. Falls er mal aus den Latschen kippt, hat er dann immerhin gleich die passenden Klamotten an. Seit er klein war, habe er es schon am Herzen, hat Fitzke mal zu Frau Dahling gesagt, deshalb käme er total schnell aus der Puste und irgendwann dann PENG! Ich finde, auch wenn er bald stirbt, könnte er sich ruhig ordentlich anziehen oder wenigstens ab und zu den Schlafanzug waschen, zum Beispiel an Weihnachten. Ich würde jedenfalls nicht gern zusammengebrochen bei Edeka vor der Käsetheke liegen und total eklig riechen, obwohl ich erst seit einer Minute tot bin.

Fitzke stierte mich nur an, also hielt ich ihm die Nudel unter die Nase. »Ist das Ihre?«

»Woher hast du die?«

»Gehsteig. Frau Dahling meint, es könnte eine Rigatoni sein. Die Soße ist jedenfalls Gorgonzola.«

»Lag die da nur so«, fragte er misstrauisch, »oder lag sie in irgendwas drin?«

»Wer?«

»Kauf dir mal ein Gehirn! Die Nudel, du Schwachkopf!«

»Wie war noch mal die Frage?«

Fitzke verdrehte die Augen. Gleich würde er platzen. »Ob sie da nur so lag auf dem Gehsteig, deine beknackte Nudel, oder in irgendwas drin! Hundekacke, weißt schon.«

»Nur so«, sagte ich.

»Dann zeig mal genauer.«

Er nahm mir die Nudel ab und drehte sie zwischen den Fingern. Dann steckte er sie sich – meine Fundnudel! – in den Mund und schluckte sie runter. Ohne zu kauen.

Tür zu, WUMMS!

Der hat sie doch nicht alle! Die nächste Fundnudel, das ist

mal klar, werde ich extra in Kacke wälzen und Fitzke bringen, und wenn er dann fragt, lag die irgendwo drin, sage ich, nein, das ist Hackfleischsoße.

Mann, Mann, Mann!

Eigentlich hatte ich das ganze Haus abklappern wollen mit der Nudel, aber nun war sie ja mal weg, verschwunden hinter Fitzkes schlechten Zähnen. Ich trauerte ihr nach. Das ist ja immer so, wenn man was verloren hat: Vorher findet man es gar nicht so dolle, aber hinterher war es auf einmal die beste Nudel der Welt. Frau Dahling ging es ähnlich. Erst hatte sie letzten Winter auf ihren Mann geschimpft, weil er ein verdammter Ehebrecher war, und inzwischen guckt sie sich einen Liebesfilm nach dem anderen an und hätte ihren Mann gern zurück.

Ich wollte schon von Fitzke runter in den Zweiten laufen, aber dann überlegte ich es mir anders und klingelte erst noch an der Wohnung gegenüber. Da wohnt der Neue, der vor zwei Tagen eingezogen ist. Gesehen hab ich ihn noch nicht. Jetzt hatte ich zwar die Fundnudel nicht mehr, aber es war eine gute Gelegenheit, um Hallo zu sagen. Vielleicht ließ er mich zu sich rein. Ich bin sehr gern in anderen Wohnungen.

Diese hier stand lange frei, weil sie so teuer war. Mama hat mal überlegt, sie zu mieten, im vierten Stock gibt's nämlich mehr Licht als im zweiten und sogar ein Stückchen Aussicht, weil man durch die Bäume über das flache alte Urban-Krankenhaus auf der anderen Straßenseite gucken kann. Aber als Mama erfuhr, was die Wohnung kosten sollte, hat sie es gelassen. Was ein Glück ist, sonst wäre Fitzke unser direkter Nachbar. Dieser Fresssack.

Der Neue heißt Westbühl, so steht es auf seinem Klingelschild. Er war nicht zu Hause, und ein bisschen war ich jetzt doch erleichtert. Das gibt Stress, wenn ich den mal mit seinem Namen anreden muss. Wegen Westen und Osten und so weiter. Ich bringe nämlich links und rechts immer durcheinander, auch auf dem Kompass. Wenn es um links und rechts geht, startet automatisch die Bingotrommel in meinem Kopf.

Ich ärgerte mich, als ich die Treppen runterlief. Hätte Fitzke nicht mein Beweismittel vernichtet, wäre es ein prima Tag gewesen, um Detektiv zu spielen. Der Kreis der Verdächtigen war nämlich sehr klein. Den fünften Stock mit den beiden schicken Dachwohnungen zum Beispiel konnte ich mir zurzeit komplett sparen. Runge-Blawetzkys sind gestern abgezischt in die Ferien, und der Marrak, der neben ihnen wohnt, hat sich gestern und heute noch nicht blickenlassen. Wahrscheinlich hat er wieder bei seiner Freundin übernachtet, die ihm auch die Wäsche macht. Alle paar Wochen sieht man den Marrak nämlich mit einem riesigen Sack voller Klamotten durch die Gegend rennen, raus aus dem Haus und wieder rein, und wieder raus und wieder rein und so weiter. Frau Dahling hat mal gesagt, es sei schrecklich mit den jungen Männern von heute, früher hätten sie zum Ausgehen nur eine Zahnbürste mitgenommen, heute wäre es der halbe Wäscheschrank. Der Marrak war jedenfalls nicht zu Hause. In seinem Briefkasten, unten im Hauseingang, steckte noch die Werbung von gestern. Ich gucke Krimis lieber als Knutschfilme, da fallen einem solche Sachen sozusagen ganz von selbst auf.

Okay, fünfter Stock abgehakt. Im vierten wohnen Fitzke und der Neue mit der Himmelsrichtung im Namen. Im dritten Stock, gegenüber von Frau Dahling, wohnt der Kiesling. Bei dem hätte ich sowieso erst abends klingeln können, weil der den ganzen Tag auf Maloche ist, als Zahntechniker in einem Labor in Tempelhof.

Im Stockwerk darunter: Mama und ich, und uns gegenüber die sechs Kesslers, aber die sind auch schon in den Ferien. Aus Kesslers Eigentumswohnung im Zweiten führt eine Treppe in die darunter liegende Wohnung, die gehört ihnen nämlich auch. Herr und Frau Kessler brauchen viel Platz für ihre vielen Kinder.

Am meisten gefreut hatte ich mich auf die Wohnung im Ersten gegenüber von Kesslers, also unter der von Mama und mir. Da wohnt nämlich Jule mit Berts und Massoud. Die drei sind Studenten. Aber ohne vorzeigbare Nudel fiel der Besuch bei ihnen leider aus. Berts ist ganz in Ordnung. Massoud kann ich nicht leiden, weil Jule in ihn statt in mich verliebt ist. So viel schon mal dazu. Hätte ich bloß mal dort angefangen mit meiner Befragung, oder beim alten Mommsen, unserem Hausverwalter – der wohnt parterre.

Alles Fehlanzeige.

Also ab in den Zweiten, nach Hause.

Als ich in unsere Wohnung kam, stand Mama vor dem goldenen Spiegel mit den vielen kleinen Dickebackenengeln dran im Flur. Sie hatte ihr himmelblaues T-Shirt hochgezogen bis unters Kinn und guckte besorgt ihre Brüste an, wer weiß wie lange schon. Ich konnte ihr nachdenkliches Gesicht im Spiegel sehen.

Viele Leute, vor allem Männer, gucken Mama auf der Straße nach. Da läuft sie natürlich nicht mit raufgezogenem T-Shirt rum, aber sie sieht eben einfach toll aus. Immer trägt sie superkurze enge Röcke und ein knappes Oberteil mit tiefem Ausschnitt. Dazu hochhackige silberne oder goldene Sandalen mit Riemchen. Die Haare blond und offen und lang und glatt, und außerdem jede Menge tingelige, klingelige Armbänder und Halsketten und Ohrringe. Am liebsten mag ich ihre Fingernägel, die sind sehr lang. Mama klebt jede Woche was Neues drauf, zum Beispiel winzige schillernde Zierfische oder auf jeden Nagel einen einzelnen kleinen Marienkäfer. Sie sagt immer, es gebe einen Haufen Männer, die das mögen, und deswegen sei sie bei ihrer Arbeit so erfolgreich.

»Irgendwann werden das Hängemöpse«, sagte Mama zu ihrem Spiegelbild und zu mir. »Ich geb ihnen noch zwei, drei

Jahre, dann werden sie Opfer der Schwerkraft. Das Leben ist ein verdammter Abreißkalender.«

Schwerkraft kannte ich nicht, das musste ich nachgucken. Ich gucke immer alles im Lexikon nach, was ich nicht kenne, um schlauer zu werden. Manchmal frage ich auch, Mama oder Frau Dahling oder meinen Lehrer, den Wehmeyer. Was ich rausgefunden habe, schreibe ich dann auf. So in etwa:

SCHWERKRAFT: Wenn was schwerer ist als man selbst, zieht es einen an. Zum Beispiel ist die Erde schwerer als so ziemlich alles, deshalb fällt keiner von ihr runter. Entdeckt hat die Schwerkraft ein Mann namens Isaac Newton. Sie ist gefährlich für Busen und Äpfel. Womöglich auch noch für andere runde Sachen.

»Und dann?«, sagte ich.

»Dann gibt's neue«, sagte Mama entschlossen. »Hier geht's schließlich um mein Betriebskapital.« Sie seufzte, zog das T-Shirt wieder runter und drehte sich zu mir um. »Wie war's denn in der Schule?«

»Ging so.«

Sie sagt nie Förderzentrum, weil sie weiß, wie sehr ich das hasse. Der Wehmeyer versucht dort seit Jahren vergeblich, die Bingokugeln in meinem Kopf zu ordnen. Ich hab mal überlegt, ihm vorzuschlagen, dass er vielleicht erst die Maschine anhalten soll, bevor er sich mit den Kugeln beschäftigt, aber dann hab ich es gelassen. Wenn er nicht selber drauf kommt, hat er eben Pech gehabt.

»Warum hat der Wehmeyer dich denn noch mal antanzen lassen?«, sagte Mama. »Ich dachte, gestern war schon der letzte Schultag?«

»Wegen einem Ferienprojekt. Was schreiben.«

»Du und schreiben?« Sie runzelte die Stirn. »Was denn?«

»Nur einen Aufsatz«, murmelte ich. Die Sache war komplizierter, aber ich wollte Mama noch nicht einweihen, bevor ich es erfolgreich ausprobiert hatte.

»Verstehe.« Ihre Stirn wurde wieder glatt. »Schon was gegessen, ein Döner oder so?« Sie wuschelte mir mit einer Hand durch die Haare, beugte sich vor und drückte mir einen Kuss auf die Stirn.

»Nee.«

»Also Hunger?«

»Klar.«

»Okay. Ich mach uns Fischstäbchen.« Sie verschwand in der Küche. Ich warf meinen Rucksack durch die offene Tür in mein Zimmer, dann folgte ich ihr, setzte mich an den Esstisch und guckte zu.

»Ich muss dich mal was fragen, Rico«, sagte Mama, während sie Butter in der Pfanne zerließ.

Mein Kopf rutschte automatisch zwischen die Schultern. Wenn Mama mich was fragt und dabei meinen Namen benutzt, bedeutet das, dass sie sich vorher Gedanken gemacht hat, und wenn sie sich Gedanken macht, hat das meistens einen ernsten Hintergrund. Mit ernst meine ich schwierig. Mit schwierig meine ich die Bingokugeln.

»Was denn?«, fragte ich vorsichtig.

»Es geht um Mister 2000.«

Ich wünschte mir, die Fischstäbchen wären schon fertig. Selbst ein Dummkopf konnte ahnen, worauf dieses Gespräch hinauslief. Mama öffnete den Kühlschrank und kratzte und hebelte mit einem Messer im Tiefkühlfach rum, wo unter einem Mantel aus blauem Eis die Packung mit den Fischstäbchen festgefroren war. »Er hat wieder ein Kind freigelassen«, fuhr sie fort. »Diesmal eins aus Lichtenberg. Schon das fünfte. Das davor war aus —«

»Wedding, ich weiß.«

Und die drei davor aus Kreuzberg, Tempelhof, Charlottenburg. Mister 2000 hält seit drei Monaten ganz Berlin in Atem. Im Fernsehen haben sie gesagt, er sei vermutlich der schlaueste Kindesentführer aller Zeiten. Manche nennen ihn auch den ALDI-Kidnapper, weil seine Entführungen so preisgünstig sind. Er lockt kleine Jungen und Mädchen in sein Auto und fährt mit ihnen davon, und danach schreibt er den Eltern einen Brief: *Liebe Eltern, wenn Sie Ihre kleine Lucille-Marie wiederhaben wollen, kostet Sie das nur 2000 Euro. Überlegen Sie sich genau, ob Sie für einen so lächerlichen Betrag die Polizei verständigen wollen. Dann erhalten Sie Ihr Kind nämlich nur nach und nach zurück.*

Bis jetzt haben alle Eltern die Polizei erst verständigt, nachdem sie bezahlt haben und ihr Kind am Stück wieder bei ihnen eingetrudelt ist. Aber ganz Berlin wartet auf den Tag, an dem eine kleine Lucille-Marie oder irgendein Maximilian nicht vollständig zu Hause ankommt, weil die Eltern Mist gebaut haben. Könnte ja sein, manche von denen sind ganz froh, dass ihr Kind entführt worden ist, und rücken deshalb nicht mal einen Cent als Lösegeld raus. Oder sie sind arm und besitzen nur fünfzig Euro oder so. Wenn man Mister 2000 nur fünfzig Euro gibt, bleibt von einem Kind womöglich nur eine Hand übrig. Die spannende Frage ist, was er dann wohl zurückschickt, die Hand oder den Rest. Vermutlich die Hand, das ist unauffälliger. Außerdem würden für ein Riesenpaket mit Restkind drin die 50 Euro bestimmt komplett fürs Porto draufgehen.

Ich finde jedenfalls, 2000 Euro sind total viel Geld. Aber in der Not, das hat Berts mir mal erklärt, kriegt die Kohle jeder zusammen, wenn er nur will. Berts studiert Beh-Weh-Ell, das hat was mit Geld zu tun, also weiß er wohl Bescheid.

»Hast du 2000 Euro?«, fragte ich Mama. Man konnte ja nie wissen. Für den Notfall könnte ich ihr erlauben meinen Reichstag zu knacken. Die Münzen wirft man oben in die Glaskuppel ein, die hat einen Schlitz. Den Reichstag habe ich schon, seit ich denken kann, und wenigstens für einen Arm oder so müsste mein Gespartes inzwischen reichen. Für zwanzig oder dreißig Euro hätte Mama dann wenigstens eine kleine Erinnerung an mich.

»2000 Euro?«, sagte sie. »Seh ich so aus?«

»Würdest du sie zusammenkriegen?«

»Für dich? Und wenn ich dafür töten müsste, Schatz.« Es knackte und ein dicker Brocken Eis landete auf dem Küchenboden. Mama hob ihn auf, machte so ein Geräusch wie *Puhhh* oder *Pfff* und warf ihn ins Spülbecken. »Das Gefrierfach muss dringend mal abgetaut werden.«

»Ich bin nicht so klein wie die anderen Kinder, die bis jetzt entführt worden sind. Und ich bin älter.«

»Ja, ich weiß.« Sie pfriemelte die Packung auf. »Trotzdem hätte ich dich in den letzten Wochen jeden Tag zur Schule bringen und auch wieder abholen sollen.«

Mama arbeitet bis frühmorgens. Wenn sie nach Hause kommt, bringt sie mir eine Schrippe mit, gibt mir einen Kuss, bevor ich ins Förderzentrum abzische, und dann legt sie sich schlafen. Sie steht dann meistens erst nachmittags auf, wenn ich längst wieder daheim bin. Es hätte nie geklappt, mich wegzubringen und wieder abzuholen.

Sie hielt kurz inne und kräuselte die Nase. »Bin ich eine verantwortungslose Mutter, Rico?«

»Quatsch!«

Einen Moment lang sah sie mich nachdenklich an, dann kippte sie die tiefgefrorenen Fischstäbchen aus der Packung in die Pfanne. Die Butter war so heiß, dass es spritzte. Mama machte einen kleinen Hüpfer zurück. »Kackdinger! Jetzt stink ich nach dem Zeugs!«

Sie würde sowieso noch duschen, bevor sie heute Abend

in den Club ging. Nach Fischstäbchen duscht sie immer. Das teuerste Parfüm der Welt, hat sie mal gesagt, klebt nicht so sehr an einem dran wie der Geruch von Fischstäbchen. Während die Dinger in der Pfanne brutzelten, erzählte ich ihr von meiner Fundnudel und dass Fitzke sie vernichtet hatte, weshalb ich jetzt nicht mehr rauskriegen konnte, wem sie gehört hatte.

»Der alte Saftsack«, murmelte sie.

Mama kann Fitzke nicht ausstehen. Vor ein paar Jahren, als wir in die Dieffe 93 eingezogen waren, hatte sie mich durchs ganze Haus mitgeschleppt, um uns den Nachbarn vorzustellen. Ihre Hand war ganz schwitzig gewesen, voll der Klammergriff. Mama ist mutig, aber nicht kaltblütig. Sie hatte Angst gehabt, die Leute könnten uns nicht leiden, wenn sie rauskriegten, dass sie keine Dame war und ich ein bisschen behindert. Fitzke hatte auf ihr Klopfen geöffnet und im Schlafanzug vor uns gestanden. Im Gegensatz zu Mama, die sich nichts anmerken ließ, hatte ich gegrinst. Das war wohl der Fehler gewesen. So in etwa hatte Mama dann gesagt, Tach, ich bin also die Neue hier, und das ist mein Sohn Rico. Er ist ein bisschen schwach im Kopf, aber da kann er nichts für. Wenn er also mal was anstellt …

Fitzke hatte die Augen zusammengekniffen und das Gesicht verzogen, als hätte er einen schlechten Geschmack im Mund. Dann hatte er, ohne ein Wort, uns die Tür vor der Nase zugeknallt. Seitdem nennt er mich Schwachkopf.

»Hat er Schwachkopf zu dir gesagt?«, fragte Mama.

»Nee.« Es bringt ja nichts, wenn sie sich aufregt.

»Der alte Saftsack«, sagte sie noch mal.

Sie fragte nicht, warum ich unbedingt hatte rausfinden wollen, wem die Nudel gehörte. Für sie war das *eine von Ricos Ideen,* und das stimmte. Nachfragen hatte da keinen Zweck.

Ich guckte ihr zu, wie sie die Fischstäbchen wendete. Sie dudelte dabei ein kleines Lied vor sich hin, verlagerte ihr Gewicht von dem linken auf den rechten Fuß und dann wieder zurück. Zwischendrin deckte sie den Tisch. Die Sonne fiel durchs Fenster und die Luft roch lecker nach Sommer mit Fisch. Ich fühlte mich sehr wohl. Ich mag es, wenn Mama kocht oder irgendwas anderes Kümmeriges macht.

»Blutmatsche drauf?«, sagte sie, als sie fertig war.

»Klar.«

Sie stellte die Ketchup-Flasche auf den Tisch und schob mir meinen Teller hin. »Also keine Begleitung zur Schule?«

Ich schüttelte den Kopf. »Jetzt sind ja erst mal Ferien. Vielleicht schnappen sie ihn in der Zeit.«

»Ganz sicher?«

»Ja–haa!«

»Gut.«

Sie schaufelte die Fischstäbchen förmlich in sich rein. »Ich muss bald los«, erklärte sie auf meinen fragenden Blick. »Will mit Irina zum Friseur.« Irina ist Mamas beste Freundin. Sie arbeitet auch im Club. »Erdbeerblond, was meinst du?«

»Ist das rot?«

»Nein. Blond mit einem ganz leichten Stich ins Rötliche.«

»Was hat das mit Erdbeeren zu tun?«

Und was für ein Stich?

»Die haben auch so einen Stich.«

»Erdbeeren sind knallrot.«

»Nur, wenn sie reif sind.«

»Aber vorher sind sie grün. Was für ein Stich?«

»Sagt man halt so.«

Mama mag es nicht, wenn ich nachbohre, und ich mag es nicht, wenn sie so redet, dass ich sie nicht verstehe. Manche Sachen haben ziemlich bescheuerte Namen, da wird man ja wohl mal fragen dürfen, warum sie so heißen, wie sie heißen. Ich frage mich zum Beispiel, warum Erdbeeren Erdbeeren heißen, obwohl man sie nicht aus der Erde buddeln muss.

Mama schob den leeren Teller von sich. »Uns fehlen ein paar Sachen fürs Wochenende. Ich könnte den Krempel selber einkaufen, aber …«

»Ich mach das schon.«

»Bist ein Schatz.« Sie grinste erleichtert, stand auf und kramte eilig in ihrer Hosentasche rum. »Ich hab 'ne Liste gemacht, warte mal …«

Mamas Hosen sind immer so eng, dass ich manchmal Angst habe, sie eines Tages rausschneiden zu müssen. Ich frag mich, warum sie trotzdem alles in die Hosentaschen stopft. Sie hat schon mindestens zehn Plastikhandtaschen beim Bingo gewonnen, aber die benutzt sie nie. Sie hebt sie nicht mal auf, sondern versteigert sie bei eBay.

»Ist nicht viel.« Endlich hielt sie mir den zerknitterten

Zettel entgegen. »Geld liegt in der Schublade. Am wichtigsten ist die Zahnpasta. Butter steht noch nicht drauf, die ist jetzt auch alle. Kannst du dir die auch so behalten, oder soll ich —«

Ich spießte das erste Fischstäbchen auf die Gabel und tunkte es superlässig in die Blutmatsche. »Kann ich mir behalten«, sagte ich.

Hoffentlich.

OSKAR

Das Einkaufen lief prima. Zahnpasta, Butter, Salzstangen, Salatzeugs und Joghurt. Ich hielt der Kassiererin bei Edeka das Geld hin und sie gab mir den Rest raus und sagte, schönen Gruß an deine Mutter. Sie guckte dabei, als wünschte sie Mama in Wirklichkeit einen qualvollen Tod. Nachdem wir in die Dieffe gezogen sind, ist Mama nämlich mal bei ihr gewesen, um ihr freundlich zu erklären, dass ich nicht rechnen kann und dass sie schon mal einem beide Arme gebrochen hat, der mich betuppen wollte.

Ich ging aus dem Laden raus. Leichter Wind bewegte die Bäume – ich hab vergessen, wie sie heißen, oder ich hab es nie gewusst, aber sie sehen toll aus. Von ihren Stämmen blättert die Rinde ab wie Lack von einer alten Tür, und darunter kommt hellere Rinde zum Vorschein, die auch wieder abblättert, und so weiter. Man fragt sich, wann so ein Baum nach innen rein mal aufhört.

Sonnenlicht flitzte über Millionen von Blättern und trieb winzige Schatten über die Gehsteige. Es wimmelte geradezu von Leuten, viele saßen draußen vor den Kneipen und Restaurants, und aus den geöffneten Fenstern in den Häusern plumpste Musik runter auf die Gehsteige. Ich war sehr froh in diesem Moment. Ich fühlte mich sicher.

In der langen Dieffe gibt es alles, was man braucht. Den Edeka und einen Spätkauf, zwei Gemüsehändler, einen Getränkemarkt, Bäcker, Metzger und so weiter. Man muss nie abbiegen, und genau aus dem Grund hat Mama sich für mich eine so lange, gerade Straße ausgesucht: weil ich mir lange

Wege nicht gut behalten kann, schon gar keine mit Ecken drin. Ich hab ein Orientierungsvermögen wie eine besoffene Brieftaube in einem Schneesturm bei Windstärke 12. Aber von der Dieffe aus kann ich sogar allein zum Förderzentrum gehen. Dazu muss ich nur aus dem Haus raus, ein kleines Stück bis zur Mohren-Apotheke an der Ecke gehen und dann nach oben abbiegen, Richtung Landwehrkanal. Ab dann laufe ich immer geradeaus, über die Admiralsbrücke bis hin zur Schule. Hinter der Schule geht's immer noch geradeaus weiter, durch Kleintürkenhausen bis zum Kottie, aber ich hab mich noch nie weitergetraut als bis zum Doyum Grillhaus, kurz *vor* dem Kottie.

Ich überlegte, ob ich auf dem Heimweg nach einer neuen Fundnudel suchen sollte. Konnte ja sein, dass sie doch nicht aus einem Fenster der Dieffe 93 geflogen war, sondern dass ein Bürgersteiggeher sie verloren oder absichtlich fallen gelassen hatte.

> BÜRGERSTEIGGEHER: Passanten. Hab Mama gefragt, wie die noch mal heißen. Fremdwörter in verständliche Wörter zu übersetzen ist schwierig genug. Umgekehrt ist es noch viel schwieriger.

Ich schlappte vor mich hin und musste dabei an Hänsel und Gretel denken, die im tiefen dunklen Wald eine Spur aus Brotkrumen gelegt hatten, um sich nicht zu verlaufen. Womöglich hatte jemand eine Nudelspur ausgelegt, um sich nicht im Kiez zu verirren. Falls er das getan hatte, war er noch tiefbegabter als ich. Wenn nämlich hier zufällig solche Allesfresser wie Fitzke unterwegs waren, sah es für einen Nudelspurenleger ziemlich schlecht aus. Hänsel und Gretel war von den Vögeln des Waldes auch ihre Brotspur aufgefuttert worden, und wo waren die beiden am Schluss gelandet? Richtig, beim großen bösen Wolf!

Am Spielplatz blieb ich stehen. Der Spielplatz ist wie eine Halbinsel von der Grimmstraße eingerahmt, die macht nämlich weiter oben beim Kanal eine Schleife, kommt dann wieder runter und trifft auf die Dieffe, weshalb sie sozusagen doppelt ist. Der Spielplatz ist groß und bei gutem Wetter immer voller Mütter und jeder Menge Dötzeken. In Neukölln, wo wir früher wohnten, ist Mama oft mit mir auf den Spielplatz gegangen. Ich hatte eine Schippe und ein Sieb und jede Menge Förmchen besessen. Irgendwann hatte ich mit der Schippe ein Loch gegraben, das Sieb und die Förmchen reingeworfen und die Schippe hinterher. Dann hatte ich alles mit den Händen zugeschaufelt und das Zeug nie wiedergefunden.

Ich guckte noch ein bisschen zum Spielplatz und freute mich für die vielen kleinen Dötzekens, die schlauer waren als ich, und dann fiel mir die Fundnudel wieder ein. Ich ging langsam über den Gehsteig, den Blick auf die grauen Pflastersteine am Boden gerichtet. Ich sah ein zerknülltes Duplo-Papierchen. Ich sah ein paar Scherben, die vor den großen Altglascontainern verstreut lagen, und eine ausgetretene alte Zigarettenkippe. Dann sah ich zwei kleine Füße mit hellen Strümpfen in offenen Sandalen.

Ich hob den Kopf. Der Junge, der da vor mir stand, reichte mir gerade so bis an die Brust. Das heißt, sein dunkelblauer Sturzhelm reichte mir bis an die Brust. Es war ein Sturzhelm, wie ihn Motorradfahrer tragen. Ich hatte gar nicht gewusst, dass es die auch für Kinder gibt. Es sah völlig beknackt aus. Das Durchguckding vom Helm war hochgeklappt.

> VISIER: Ein Durchguckding. Ich hab Berts danach gefragt, der fährt ein Motorrad. Jule und Massoud sind zusammen im Urlaub, hat er außerdem gesagt. Pfff …

»Was machst du da?«, sagte der Junge. Seine Zähne waren riesig. Sie sahen so aus, als könnte er damit ganze Stücke aus großen Tieren rausbeißen, einem Pferd oder einer Giraffe oder dergleichen.

»Ich suche was.«

»Wenn du mir sagst, was, kann ich dir helfen.«

»Eine Nudel.«

Er guckte sich ein bisschen auf dem Gehsteig um. Als er den Kopf senkte, brach sich spiegelnd und blendend Sonnenlicht auf seinem Helm. An seinem kurzärmeligen Hemd, bemerkte ich, war ein winziges knallrotes Flugzeug befestigt wie eine Brosche. Eine Flügelspitze war abgebrochen. Zuletzt guckte der kleine Junge kurz zwischen die Büsche vor dem Zaun vom Spielplatz, eine Idee, auf die ich noch gar nicht gekommen war.

»Was für eine Nudel ist es denn?«, sagte er.

»Auf jeden Fall eine Fundnudel. Eine Rigatoni, aber nur vielleicht. Genau kann man das erst sagen, wenn man sie gefunden hat, sonst wäre es ja keine Fundnudel. Ist doch wohl logisch, oder?«

»Hm …« Er legte den Kopf leicht schräg. Der Mund mit den großen Zähnen drin klappte wieder auf. »Kann es sein, dass du ein bisschen doof bist?«

Also echt!

»Ich bin ein tiefbegabtes Kind.«

»Tatsache?« Jetzt sah er wirklich interessiert aus. »Ich bin hochbegabt.«

Nun war ich auch interessiert. Obwohl der Junge viel kleiner war als ich, kam er mir plötzlich viel größer vor. Es war ein merkwürdiges Gefühl. Wir guckten uns so lange an, dass ich dachte, wir stehen hier noch, wenn die Sonne untergeht. Ich hatte noch nie ein hochbegabtes Kind gesehen, außer mal im Fernsehen bei *Wetten, dass ..?* Da war ein Mädchen gewesen, das spielte wie eine Bekloppte irgendwas total

Schwieriges auf der Geige, und gleichzeitig rief der Gottschalk ihr kilometerlange Zahlen zu und sie musste dann sagen, ob es eine Primzahl war oder nicht. Frau Dahling hatte, ohne zu kauen, ein Lachsmüffelchen runtergeschluckt und gesagt, die Kleine würde es mal weit bringen, weshalb ich gedacht hatte, Primzahlen wären was Wichtiges. Sind sie aber nicht.

> PRIMZAHL: Eine Primzahl ist eine Zahl, die man nur durch 1 und durch sich selber teilen kann, wenn man keine Brüche erhalten will. Zum Beispiel an den Armen. Wenn ich der Gottschalk gewesen wäre, hätte ich das Mädchen gefragt, warum sie nicht lieber Blockflöte oder Trompete spielt. Da kann man zur Not einfach nur reinpusten.

»Ich muss jetzt weiter«, sagte ich endlich zu dem Jungen. »Bevor es dunkel wird. Sonst verlaufe ich mich womöglich.«

»Wo wohnst du denn?«

»Da vorn, das gelbe Haus. Die 93. Rechts.«

Ich ärgerte mich im selben Moment, dass ich *rechts* gesagt hatte. Erstens wusste ich nicht wirklich, ob es rechts war oder nicht doch eher links, und zweitens liegt gegenüber der Häuserzeile das alte Urban-Krankenhaus, lang gestreckt wie eine schlafende Katze, und man erkennt sofort, dass das kein Wohnhaus ist.

Der Junge schaute an meinem ausgestreckten Arm entlang. Als er die 93 sah, rutschte seine Stirn erst rauf, als wäre ihm gerade eine tolle Erleuchtung gekommen oder so was, und dann wieder runter, als würde er gründlich über etwas nachdenken.

Zuletzt wurde seine Stirn wieder ganz glatt und er grinste. »Du bist wirklich doof, oder? Wenn man etwas direkt vor Augen hat und nur geradeaus gehen muss, kann man sich unmöglich verlaufen.«

Immerhin stimmte die Straßenseite. Trotzdem wurde ich langsam sauer. »Ach ja? *Ich* kann das. Und wenn du wirklich so schlau wärst, wie du behauptest, wüsstest du, dass es Leute gibt, die das können.«

»Ich —«

»Und ich sag dir noch was: Es ist kein bisschen witzig!« Alle Bingokugeln waren auf einmal rot und klackerten durcheinander. »Ich hab mir nicht ausgesucht, dass aus meinem Gehirn manchmal was rausfällt! Ich bin nicht freiwillig dumm oder weil ich nicht lerne!«

»Hey, ich —«

»Aber du bist ja wohl eins von den Superhirnen, die alles wissen und dauernd mit irgendwas angeben müssen, weil sich nämlich sonst keiner für sie interessiert, außer wenn sie im Fernsehen Geige spielen!«

Es ist total peinlich, aber wenn ich mich heftig über etwas

aufrege, zum Beispiel Ungerechtigkeit, fange ich an zu heulen. Ich kann überhaupt nichts dagegen machen. Der Junge kriegte ganz erschreckte Augen unter seinem Sturzhelm.

»Jetzt wein doch nicht! Ich hab das gar nicht so —«

»Außerdem weiß ich, was 'ne Primzahl ist!«, brüllte ich.

Was vor lauter Aufregung im Moment so ziemlich das Einzige war, das ich noch wusste. Jetzt sagte der Junge gar nichts mehr. Er guckte runter auf seine Sandalen. Dann guckte er wieder hoch. Seine Lippen waren ganz dünn geworden. Er streckte eine Hand aus. Sie war so klein, dass sie doppelt in meine passte.

»Ich heiße Oskar«, sagte er. »Und ich möchte mich aufrichtig bei dir entschuldigen. Ich hätte mich nicht über dich lustig machen dürfen. Das war arrogant.«

Ich hatte keine Ahnung, was er mit dem letzten Wort meinte, aber die Entschuldigung hatte ich verstanden.

> ARROGANT: Wenn man auf jemanden herabsieht. So schlau kann Oskar also gar nicht sein, schließlich ist er viel kleiner als ich und musste ständig zu mir raufgucken.

Man muss nett sein, wenn jemand sich entschuldigt. Wenn einer nur so tut als ob, kann man ruhig weiter sauer sein, aber Oskar meinte es aufrichtig. Hatte er ja gesagt.

»Ich heiße Rico«, sagte ich und schüttelte seine Hand. »Mein Vater war nämlich Italiener.«

»Ist er tot?«

»Logisch. Sonst hätte ich ja nicht *war* gesagt.« Der Wehmeyer hat gesagt, eine meiner Stärken beim Schreiben von Aufsätzen wären die Zeiten, also Vergangenheit, Gegenwart und Zukunft und die So-als-ob-Zeit.

»Tut mir leid. Wie ist er denn gestorben?«

Ich gab keine Antwort. Ich hab noch nie jemandem davon erzählt, wie Papa gestorben ist. Das geht keinen was an. Es ist eine sehr traurige Geschichte. Ich zog die Nase hoch, guckte über den Zaun auf den Spielplatz und versuchte, an was anderes zu denken. Zum Beispiel, ob dort auch Schippen und Förmchen und Siebe und so weiter vergraben waren, und wenn ja, wie viele und in welchen Farben. Bestimmt waren es hunderte. Wenn ich sie alle ausgrub, konnte Mama sie bei eBay versteigern, zusammen mit ihren Handtaschen.

Oskar drückste ein bisschen herum, als er merkte, dass da nichts mehr kam. Irgendwann nickte er endlich und sagte: »Ich muss jetzt nach Hause.«

»Ich auch. Sonst schmilzt die Butter.« Ich hob die Einkaufstasche hoch. Und dann, weil er so ordentlich aussah in seinen komischen Klamotten, wie eins von diesen Kindern, die dauernd Gemüse und Obst und zuckerfreies Müsli aus dem Bioladen essen müssen, sagte ich: »Unsere Butter war alle, weil es bei uns heute Mittag Fischstäbchen mit Blutmatsche gab.«

Ich ging und nahm mir vor, mich kein einziges Mal umzudrehen. Der sollte bloß nicht denken, dass ich ihn toll fand mit seinem Sturzhelm und den Monsterzähnen. Dann drehte ich mich doch um und sah ihn in die andere Richtung in der Dieffe verschwinden. Von Weitem sah er aus wie ein sehr kleines Kind mit einem sehr großen blauen Kopf.

Erst als ich wieder zu Hause war, die Butter in den Kühlschrank geräumt hatte und anfing, mit einem Messer das Eisfach auszukratzen, fiel mir ein, dass ich Oskar gar nicht gefragt hatte, was er mutterseelenallein hier im Kiez zu suchen hatte. Oder was das kleine knallrote Flugzeug an seinem Hemd bedeutete. Und warum er einen Sturzhelm für Motorradfahrer trug, obwohl er zu Fuß unterwegs war.

Frau Dahlings Locken waren ganz hübsch geworden. Ich drückte ihr die Salzstangen in die Hand, als sie mich einließ. Durch die offene Wohnzimmertür fiel rotgoldenes Abendlicht bis in den Flur. Da hängen überall kleine Bildchen in Plastikrahmen an den Wänden, meistens mit gezeichneten kleinen Kindern drauf, die ganz große Augen haben und zum Beispiel vor dem Eiffelturm stehen oder auf einer Brücke in Venedig. Es gibt auch Bilder mit Clowns und dergleichen drauf, von denen die Hälfte heult. Ziemlich kitschig.

»Mir geht's nicht wirklich gut, Schätzchen«, sagte Frau

Dahling und machte die Wohnungstür zu. »Ich hab so ein graues Gefühl.«

Fast hätte ich gejuchzt. Ein graues Gefühl bedeutet, dass wir keinen Liebesfilm gucken. Ich habe nichts gegen Liebesfilme, aber sie machen mich manchmal ein bisschen nervös. Es gibt keinen einzigen Liebesfilm über tiefbegabte Menschen, als würden die niemanden finden zum Verknallen. Okay, es gibt *Forrest Gump,* aber der Film hat kein glückliches Ende, und außerdem kann ich Forrest nicht besonders gut leiden, er ist so schrecklich aufdringlich und verfressen.

Frau Dahling legte mir eine Hand auf die Schulter und lotste mich vor sich her in ihr Wohnzimmer. So doof bin ich nun auch nicht, dass ich mich in ihrer kleinen Wohnung verlaufen würde, aber ich sagte nichts. Das graue Gefühl macht ihr immer ordentlich zu schaffen, da muss man ein bisschen Rücksicht nehmen.

»Hast du eigentlich rausgekriegt, von wem die Nudel war? Fitzke?«

»Nee.«

Ich erzählte ihr nicht, dass der Blödmann die gute Fundnudel einfach verschlungen hatte. Ich pflanzte mich auf das Sofa und guckte unauffällig auf den Tisch. Ein Teller mit Leberwurstschnittchen, kleinen Gurken und halbierten Tomaten stand darauf. Mein Magen rumpelte los. Frau Dahling macht die besten Müffelchen der Welt.

»Wenn's der Fitzke nicht war«, überlegte sie, »dann war es wahrscheinlich eine von den Kessler-Gören.«

»Nee. Kesslers sind im Urlaub. Seit gestern. Genau wie die Runge-Blawetzkys.«

Kesslers sind schon im Fernsehen und in der Zeitung gewesen und alles. Sie sind eine Sensation, weil Frau Kessler zweimal Zwillinge bekommen hatte, und zwar innerhalb desselben Jahres – zwei Jungen im Januar, zwei Mädchen im Dezember. Zwischen die doppelten Geburtstage passen also gerade mal eben so Weihnachten und Silvester. Teure Sache, das, meint Herr Kessler immer, aber er grinst dabei ganz stolz. Doppelte Zwillinge, das musste ihm erst mal einer nachmachen. Die Zwillinge sind sechs und sieben Jahre alt. Frau Dahling hasst sie wie die Pest und nennt sie Brüllwürfel.

Sie steckte die Salzstangen in ein Glas, das sie neben die Müffelchen auf den Tisch stellte. Sie machte den Fernseher an. Wir gucken immer erst Nachrichten, bevor es an die Spielfilme geht: die Abendschau aus Berlin, danach die Tagesschau. Frau Dahling ist in einen von den Sprechern von der Abendschau verknallt. Er hat braune Augen wie ein Teddybär, heißt Ulf Brauscher und Frau Dahling findet ihn toll. Als sie neulich mal wieder ein Schlückchen Gutes mit Mama getrunken hat, sagte sie, sie fände ihn sexy wie die Hölle.

Heute guckte Ulf Brauscher ganz ernst mit seinen schönen braunen Augen, denn natürlich ging es in der Abendschau um Mister 2000 und das freigelassene Kind aus Lichtenberg. Die Eltern wollten keine Interviews geben, also wurden nur die Fotos von den anderen Kindern gezeigt, die inzwischen jeder Berliner aus der Zeitung und der Glotze längst auswendig kennt: zwei Jungen und zwei Mädchen, keines von ihnen älter als sieben Jahre. Alle lächeln auf den Fotos, bis auf die kleine Sophia aus Tempelhof. Kinder sehen eigentlich immer niedlich aus, selbst wenn sie hässlich sind, aber die kleine Sophia ist die Ausnahme. Das bekannte Foto von ihr ist ein wenig unscharf, aber selbst darauf sieht man, wie dicht ihre Augen beisammenstehen in ihrem total flachen Mondgesicht. Sie hat schmale Lippen, die fast so farblos wie die dünnen Augenbrauen sind, ihre blonden Haare hängen strähnig auf die Schultern und sie trägt ein zerknittertes, dunkelrosafarbenes T-Shirt, das noch dazu beferkelt ist mit einem dicken roten Fleck Erdbeersoße oder dergleichen. Wer so aussieht und herumläuft, wird gern mal auf dem Schulhof ausgelacht oder verarscht. Sophia war das zweite Entführungsopfer von Mister 2000 und sie tut mir von allen am meisten leid. Ich weiß, wie das ist, wenn man von anderen dauernd verarscht wird, weil man anders ist.

Ulf Brauscher erklärte, dass es weiterhin keine Spur von dem Entführer gebe, und dann ging es weiter mit Politik. Neben mir machte Frau Dahling ein schnaubendes Geräusch.

»Ich wünschte, ich hätte die Adresse von dem Kerl.«

»Von Ulf Brauscher?« Den Namen konnte ich mir behalten, weil er regelmäßig unten im Bild eingeblendet wurde. Ansonsten ist mein Namensgedächtnis ziemlich im Eimer, und der Eimer hat zusätzlich auch noch ein Loch im Boden.

»Nee, von dem ALDI-Kidnapper.« Frau Dahling schob

sich eine halbe Tomate in den Mund. »Dem würde ich gern persönlich 'ne Einladung schicken, sich eine von den Kessler-Gören abzuholen. Für die Eltern wäre das nur halb so schlimm, weißt du. Sie hätten ja auf jeden Fall immer noch ein Kind in petto, das genauso aussieht.«

»Was ist in petto?«

»Übrig.«

Das Problem mit Fremdwörtern ist, dass sie oft was ganz Einfaches bedeuten, aber manche Leute es lieber kompliziert ausdrücken.

Frau Dahling schob ein Gürkchen hinter der halben Tomate her. Es gab kleine Kracher, als sie darauf herumkaute. Dann leckte sie sich die Finger. »Wäre jedenfalls kein Verlust, wenn du mich fragst.« Sie schnaubte noch mal. »Diese Brüllwürfel sind das Schlimmste, was je in diesem Haus gewohnt hat!«

»Ich finde Fitzke schlimmer.«

Sie winkte ab und fischte nach ein paar Salzstangen. »Ach, der simuliert doch bloß. Ein Müffelchen, Rico?«

SIMULIEREN: So tun als ob. Zugegeben, das sind vier Wörter, um ein Wort zu erklären. Aber in beiden Fällen sind es gleich viele Buchstaben. Da könnte man es auch gleich so sagen, dass es jeder sofort versteht.

Ich schnappte mir ein Müffelchen und ein Stück Gurke. Frau Dahling kaute ihre Salzstangen, dann griff sie plötzlich nach der Fernbedienung und stellte den Ton vom Fernseher ab. Man sah Bilder vom Dom und von ein paar Baukränen, aber die Erklärungen dazu fehlten. Stille breitete sich im Wohnzimmer aus. Frau Dahling blickte geradeaus mit ein bisschen verschwommenen Augen und rührte sich nicht mehr. Ich guckte sie aus dem Augenwinkel an und kaute dabei vorsichtig das Müffelchen und die Gurke. Es ist immer ein bisschen gruselig, wenn das graue Gefühl über sie kommt.

»Was?«, sagte Frau Dahling nach einer Weile unwillig, ohne den Kopf in meine Richtung zu drehen.

»Sie könnten mal ausgehen«, sagte ich.

»Ist das deine Idee oder eine von deiner Mutter?«

»Meine.«

Die Idee stammte von Mama. Man muss aufpassen, wenn man als tiefbegabtes Kind Sachen sagt, die klingen könnten, als hätte man sie sich nicht selber ausgedacht. Ruck, zuck denken die Leute sonst, man wäre ein angeberischer Lügner und eigentlich doch ganz schlau, und dann stellen sie einem Rechenaufgaben und dergleichen. Aber so doof bin ich auch nicht, als dass ich nicht wüsste, wie man ein graues Gefühl kriegt. Man kriegt es, weil man einsam ist, und andere Leute trifft man nun mal bloß, wenn man ausgeht oder sich jemanden im Internet aussucht. Ich hab keine Ahnung, wie alt Frau Dahling ist, bestimmt schon fast fünfzig. Trotzdem muss sich da doch noch irgendwer auftreiben lassen, der auch gerne Müffelchen isst. An der Fleischtheke bei Karstadt ist jedenfalls noch kein Mann für sie aufgetaucht.

Die Abendschau war vorbei. Ulf Brauscher verschwand. Frau Dahling drückte entschlossen auf die Fernbedienung. Das Bild wurde schwarz, dann erschien das rosafarbene Logo vom DVD-Player.

»Wir gucken Krimi.« Frau Dahling stemmte sich aus dem Sofa und ging zum Schrank mit der Filmsammlung drin. »Miss Marple.«

Jetzt juchzte ich wirklich.

Später, als ich wieder in unserer eigenen Wohnung war und im Bett lag, konnte ich nicht einschlafen. Ein bisschen lag das an Miss Jane Marple. Ich rege mich immer auf, wenn ich einen Krimi mit ihr sehe, weil ich Angst habe, dass ihr was passiert. Beim Gucken vergesse ich vor lauter Spannung immer, dass sie letztes Mal im selben Film den Fall auch überlebt hat.

Ein bisschen lag es auch daran, dass Vollmond war. Er beleuchtete die dunklen, blinden Fenster der leeren Wohnungen vom Hinterhaus. In manchen hängen noch alte Gardinen. Ausgerechnet den dritten Stock kann ich von meinem Bett aus richtig gut sehen. Da hat sich das Fräulein Bonhöfer drin umgebracht. Fräulein Bonhöfer war eine alte Dame.

Eines Tages kriegte sie Lungenkrebs und hatte keine Lust auf Krankenhaus. Sie drehte das Gas auf, steckte sich eine letzte Zigarette an und wartete eine Weile. Dann WUMMS!

Erst dachte man, das Hinterhaus habe nicht allzu viel gelitten durch die Explosion. Die Wohnungen, in denen es alles zerdeppert hatte, bekamen neue Fenster und so weiter, aber als es an das Treppenhaus ging, stellte man fest, dass im vierten und fünften Stock nachträglich Risse in den Mauern aufgetaucht waren. Der ganze Kladderadatsch war einsturzgefährlich, und alle Bewohner mussten raus.

Die Fenster im Treppenhaus wurden vernagelt, die Tür aus dem Hof ins Hinterhaus bekam ein fettes neues Sicherheitsschloss, und seitdem streiten sich die vielen verschiedenen Eigentümer der Wohnungen um die Kosten für den Wiederaufbau.

Das ist viele Jahre her. Aber angeblich, das hatte der Mommsen mir gleich nach unserem Einzug erzählt, geistert seitdem das Fräulein Bonhöfer durch ihre alten Zimmer. Mommsen war gerade Hauswart geworden, als die Bonhöfer sich damals umbrachte. Er glaubt fest daran, dass sie in ihrer früheren Wohnung immer noch nach einem Aschenbecher oder dergleichen sucht.

Ich muss da einfach immer rübergucken, ob ich will oder nicht. Ich hab schon oft überlegt, Mama darum zu bitten, Gardinen aufzuhängen oder ein Rollo, aber dann denkt sie vielleicht, ich wäre ein Weichei. Manchmal glaube ich, hinter den Schatten in der Bonhöfer-Wohnung noch tiefere

Schatten zu sehen, die durch die leeren Zimmer huschen. Ich weiß zwar, dass ich mir die Tieferschatten nur einbilde, aber das macht die Sache nicht leichter. Vor allem dann nicht, wenn man mal dringend aufs Klo muss, sich aber nicht traut aufzustehen – und ich hab mich noch nie getraut, wenn Mama nachts auf Arbeit ist und ich allein in der Wohnung bin. Ich hab schon seit ein paar Jahren nicht mehr in die Hose gemacht, so wie früher. Aber ich weiß genau: Wenn ich den Tieferschatten länger als eine Minute beim Herumhuschen zusehe, ist es wieder so weit. Deshalb ziehe ich mir vor dem Einschlafen meistens die Decke über den Kopf.

Heute auch.

Unter der Decke dachte ich noch an Oskar und daran, ob ich ihn jemals wiedersehen würde. Dann schlief ich ein.

DAS FERIENTAGEBUCH

Nun hab ich fast den kompletten Sonntag gebraucht, um den Samstag aufzuschreiben. Das ist okay, ich hatte meine Ruhe, weil Mama den ganzen Tag schlief. An den Wochenenden bleibt sie noch länger im Club als sonst. Sie ist erst morgens gegen zehn nach Hause gekommen und sofort ins Bett gefallen. Weshalb sie auch nicht mitgekriegt hat, dass ich den ganzen Tag am Computer gesessen habe. Falls mein Experiment schiefgeht, ist sie dann am Schluss wenigstens nicht enttäuscht.

Die Schreiberei ist eine Idee vom Wehmeyer. Das war der Grund dafür, dass ich am Samstag noch mal bei ihm antanzen sollte, obwohl eigentlich schon Ferien waren. Es ging um einen Aufsatz über den Landwehrkanal, den ich vor zwei Wochen geschrieben hatte. Der hatte den Wehmeyer schwer beeindruckt, deshalb wollte er noch mal mit mir darüber reden.

»Deine Rechtschreibung zieht einem zwar die Schuhe aus, Rico«, sagte er. »Aber *wie* du schreibst, das hat schon was. Du bist ein guter Erzähler … wenn man die längere Abschweifung mal außer Acht lässt. Weißt schon – die mit der Nordsee.«

Der Landwehrkanal fließt praktisch direkt hinter der Dieffe 93 vorbei. Man kann da prima am Ufer sitzen, unter den schönen Trauerweiden oder einfach im Gras, zwischen vielen anderen Leuten. Man kann aufs glänzende Wasser gucken oder die darauf paddelnden Schwäne ärgern. Ab und zu fährt ein Dampfer vorbei mit Touristen, denen kann man zuwinken. Die winken dann immer so begeistert zurück, als hätten sie noch nie im Leben einen Jungen an einem Ufer sitzen sehen. Steht alles drin in dem Aufsatz.

Mit den Abschweifungen meinte der Wehmeyer ausgerechnet meine Lieblingsstelle, als ich mir vorgestellt hatte, wie man sich als Wasserleiche in so einem Kanal fühlt. Es ist Winter und man ist gerade ins Eis eingebrochen. Die Strömung trägt einen unter dem blauschwarzen Eis vom Landwehrkanal in die Spree. Ich hatte mir vorher auf der Deutschlandkarte angeguckt, wie es dann weitergeht: Die Spree fließt in die Havel und die Havel fließt in die Elbe und die Elbe fließt in die Nordsee und die Nordsee gehört zum Atlantik. Man hat also richtig was davon, wenn man im Landwehrkanal ertrinkt, nämlich eine tolle Reise durch drei Flüsse und am Schluss den Ozean, außer natürlich, man gerät unterwegs in eine Schiffsschraube, die einen völlig zerrunkelt, das wäre ärgerlich.

Der Wehmeyer guckte ganz listig. »Interessierst du dich für Mister 2000? Macht dir das Angst, diese Sache mit den Entführungen?«

Es ging also um die zerrunkelte Wasserleiche. Ich schüttelte den Kopf. Beim Schreiben hatte ich an jemand anderen gedacht, nicht an den ALDI-Entführer, aber das ging den Wehmeyer nichts an.

Er nickte und guckte an die Wand mit den vielen Bildern von seinen Kindern und seiner Frau und seinem Hund und dem Motorrad, das längst nicht so schön ist wie das von Berts.

»Ich hab mir Folgendes überlegt«, sagte er. »Was würdest du davon halten, so eine Art Tagebuch zu führen? Über deine Erlebnisse in den Ferien? Was du so denkst, was du so alles machst … Fahrt ihr in Urlaub, du und deine Mutter?«

»Nein. Ist das 'ne Hausaufgabe?«

»Sagen wir mal: Wenn du es wirklich versuchst, erlasse ich dir dafür nach den Ferien ein paar andere Hausaufgaben.«

Das klang gut.

»Wie viel soll denn drinstehen?«

»Sagen wir mal … ab zehn Seiten bin ich zufrieden. Ab zwanzig gibt's einen Bonus.«

»Was ist das?«

»Eine zusätzliche Belohnung.«

Das klang noch besser. Trotzdem war mir nicht ganz wohl dabei. Zwanzig Seiten waren ziemlich viel.

»Und die Rechtschreibfehler?«, sagte ich misstrauisch.

»Um die mach dir erst mal keine Gedanken. Du hast doch sicher einen Computer, oder?«

»Mama hat einen. Wegen eBay.«

Bei eBay wird Mama nicht nur prima die Plastikhandtaschen vom Bingo los, sondern es gibt dort auch für billig Klamotten und so weiter.

»Hat der ein Textverarbeitungsprogramm mit Korrekturfunktion?«

»Was heißt Korrektur?«

»Verbesserung.«

Verbesserungsfunktion: Ab und zu kriegt man ein Wort erklärt und versteht es dann leider erst recht nicht. Jedenfalls nicht sofort. Zum Beispiel könnte man sich bei Verbesserungsfunktion fragen, warum man was verbessern sollte, obwohl es längst tadellos funktioniert. Und schon ist man reingefallen!

Manchmal bastelt der Wehmeyer extralange Wörter und Sätze zusammen, um uns zu ärgern. Wenn ich einen schlechten Tag habe, rege ich mich darüber auf und dann geht bei mir die Bingotrommel los. Aber heute würde ich mich nicht ärgern lassen. Jetzt waren Ferien. Außerdem, das muss ich zugeben, schmeichelte mir sein Vorschlag ein bisschen. Ein Tagebuch …

Es dauerte eine Weile, dann hatte ich die vielen Wörter sortiert und verstanden. Als Mama unseren Computer gekauft hat, ist so ein Textprogramm und anderer Schnickschnack umsonst dabei gewesen. Mama benutzt es ab und zu, um Briefe zu schreiben. Ich nickte.

»Gut«, sagte der Wehmeyer. »So ein Programm verbessert deine Fehler nämlich automatisch.«

Ich war verblüfft. »Echt?«

»Echt. Aber tu mir einen Gefallen und guck dir wenigstens ein paar von den übelsten Fehlern an. Vielleicht lernst du was draus.«

Klar, ganz bestimmt! Wenn ich mir jeden Fehler einzeln angucke, dreht die Bingomaschine garantiert völlig durch.

»Abgemacht?«, sagte Wehmeyer.

»Abgemacht.«

Er grinste und hob eine Hand. »Gib mir fünf.«

Ich schob meinen Stuhl zurück, stand auf, sagte schnell Tschüs und ging. Wenn der jetzt auch noch mit Mathe anfing, bekäme ich echt schlechte Laune.

Ja, und das war's bis jetzt. Schon über zwanzig Seiten. Ich kann also eine Pause machen. Schreiben ist anstrengend. Aber den zusätzlichen Belohnungsbonus hab ich längst in der Tasche. Der Wehmeyer wird ganz schön Augen machen.

Nur dieses vollautomatische Verbesserungsdings ist nicht

so toll. Weiter oben hatte ich ein Wort falsch geschrieben, da stand *Schwene* an Stelle von *Schwäne*. Das Programm hat mir zur Verbesserung folgenden Satz vorgeschlagen: *Man kann aufs glänzende Wasser gucken oder die darauf paddelnden Schweine ärgern.*

MONTAG
DER BÜHL

Gegen Mittag klingelte es an der Wohnungstür. Mama war gerade aufgestanden und an meinem Zimmer vorbeigeschlurft. Ich hörte sie in der Küche herumkruspeln, wo sie Kaffee aufsetzte.

»Machst du mal auf?«, rief sie.

Den Mann vor der Tür hatte ich noch nie zuvor gesehen. Er war groß und schlank, hatte kurze schwarze Haare, krachblaue Augen und am Kinn eine kleine Narbe. Er sah aus wie ein Schauspieler.

»Guten Tag!« Er lächelte und streckte mir die Hand entgegen. »Ich dachte, dass ich mich endlich mal vorstellen sollte. Bin ja schon vor ein paar Tagen eingezogen, oben im Vierten. Simon Westbühl.«

Ich gab keine Antwort. Ich starrte abwechselnd auf die Narbe an seinem Kinn und auf seine ausgestreckte Hand und wünschte mir, er hieße nur Bühl. Vor meinen Augen drehte sich eine kleine Kompassnadel wie wild im Kreis – Westen, Osten, Westen, Osten. Ich lief rot an und begann zu schwitzen. Das ist das Problem mit den Bingokugeln: Sie kullern einfach drauflos, ob es mir gerade passt oder nicht. Ich hörte sie förmlich gegen die Innenseite von meinem Schädel klackern.

Der Bühl lächelte freundlich weiter, aber in seinen Augen standen plötzlich zwei winzig kleine Fragezeichen, als hätte er noch nie einen fürchterlich schwitzenden Jungen gesehen. Seine Hand hing immer noch vor mir in der Luft. Er musste mich für komplett bekloppt halten. Ich beschloss, mich zusammenzureißen. Selbst für ein tiefbegabtes Kind ist ein Name mit einer einzigen Himmelsrichtung drin keine wirkliche Herausforderung.

»Issen da?«, rief Mama aus der Küche.

»Herr Ostbühl«, brüllte ich zurück. »Der Neue aus dem vierten Stock.«

Klack, klack, klacker-di-klack …

»Also, ich kann ja auch später noch mal …«, fing der Bühl an, und dann versickerte seine Stimme wie Regenwasser im April in einem Gully. Er guckte mit großen Augen über meine Schulter. Ich drehte mich um.

Mama war barfuß in den Flur getreten. Sie werkelte in ihren frischgefärbten erdbeerstichigen Haaren rum, um sie im Nacken zu einem Pferdeschwanz zu binden. Ich mag es, wenn sie verschlafen ist, sie wirkt dann fast wie ein kleines Mädchen. Sie sah total hübsch aus, auch wenn ich mir wünschte, sie hätte mehr an als das kurze blaue Männerhemd, unter dem ihr Slip rausguckte.

Der Bühl guckte ganz schnell an ihr rauf und runter, ohne den Kopf zu bewegen. Auf seinen Wangen waren rote Flecken erschienen. Wenn er jetzt noch anfing zu schwitzen, wären wir quitt.

»Moment noch«, sagte Mama, als wäre er bloß der Briefträger, und bog ins Bad ab. Wasser plätscherte. Man hörte sie gurgeln.

»Sie benutzt jetzt gerade Mundwasser«, flüsterte ich dem Bühl zu.

Er nickte freundlich und tat so, als sehe er sich in unserem schönen Flur um, aber zwischendrin guckte er mich schon wieder so komisch an. Sekunden später kam Mama aus dem Badezimmer, in ihrem japanischen Morgenmantel mit den pinseligen Schriftzeichen drauf, von denen wir uns manchmal ausdenken, was sie heißen könnten, zum Beispiel *Guten Morgen* oder *Friede auf Erden* oder *Esst gefälligst mehr Gemüse!*

»'tschuldigung«, murmelte sie. Dann stand sie vor dem Bühl und packte endlich die ausgestreckte Hand. »Tanja Doretti.« Sie lächelte. »Glaube ich wenigstens. Bin noch nicht ganz wach.«

»Simon Westbühl. Ich hoffe, ich habe Sie nicht –«

»Haben Sie nicht.« Sie drehte sich um und schlurfte auf die Küche zu. »Auch einen Kaffee?«, fragte sie über die Schulter. »Läuft gerade durch. Ohne bin ich nicht zu gebrauchen.«

Ich hab mal mit Frau Dahling einen Film gesehen über den berühmten griechischen Helden … Also, er fing mit O an und war mit einem Holzpferd im Krieg gewesen, und danach fuhr er jahrelang auf seinem Schiff durch die Gegend, um zu seiner geliebten Frau zurückzukehren. Die war zu Hause geblieben, wo sie inzwischen von tausend Männern belagert wurde, die alle scharf auf sie waren. Das wusste der O nicht, sonst hätte er sich vielleicht ein bisschen mehr beeilt. Stattdessen verfuhr er sich dauernd mit seinem Schiff und erlebte völlig wahnsinnige Abenteuer, aber am Schluss schaffte er es dann endlich zu seiner treuen Frau zurück und machte all diese Typen platt, mit Pfeil und Bogen und so weiter. Extrem cool!

Jedenfalls, irgendwann während seiner Irrfahrten, mitten in einem Sturm auf dem offenen Meer, kam der O mit dem Schiff und seiner Besatzung an ein paar Felsen oder einer Insel oder dergleichen vorbei, da saßen singende Frauen drauf, so eine Art Meerjungfrauen. Wer sie hörte, wurde ganz wuschig und wollte unbedingt zu ihnen, deshalb sprangen ein paar von Os Männern ins Wasser und ertranken bitterlich, so verlockend waren diese Stimmen. Wie Honig und Milch, sagte einer der Matrosen, bevor er über Bord ging, auch wenn Frau Dahling gemeint hatte, so doll sei das Gesinge aber nun echt nicht, eher wie Essig mit jeder Menge Zucker drin. Fast hätte sie zum *Musikantenstadl* umgeschaltet, aber dann siegte ihre Neugier, schließlich wollte sie wissen, was aus der treuen Frau vom O wurde. Der O hatte sich inzwischen, weil er nicht ertrinken, aber unbedingt das Gesinge hören wollte, von seinen Kameraden an den Schiffsmast binden lassen, und nur deshalb kam er mit dem Leben davon.

Den Bühl hatte keiner angebunden. Er stapfte hinter Mama her in die Küche, als hätte sie ihm auch gerade was vorgesungen, und er guckte dabei haargenau so verzückt wie der O, als er nicht vom Schiffsmast loskam. Mama zeigte auf einen Stuhl und stellte wortlos zwei Tassen auf den Tisch. Die Kaffeemaschine blubberte gemütlich vor sich hin. Ich setzte mich dem Bühl gegenüber. Er sah viel besser aus als der

Schauspieler, der den O gespielt hatte. Und er passte total gut in unsere Küche.

»Sind Sie verheiratet?«, sagte ich.

Er fing an zu grinsen und schüttelte den Kopf. Tadellose weiße Zähne.

»Haben Sie eine Freundin?«

»Rico!«, zischte Mama.

»Lassen Sie mal«, sagte der Bühl grinsend, schon wieder ohne den Blick von mir zu wenden. Die Frage beantwortete er nicht. Ich fand ihn trotzdem toll. Ich mag auch den Kiesling aus dem Dritten, jedenfalls vom Aussehen her. Ansonsten ist er meistens ziemlich knurrig, wahrscheinlich steht er nicht besonders auf Kinder. Aber der Kiesling würde Mama sowieso nie heiraten, auf Frauen steht er nämlich auch nicht.

»Wir gehen morgen Abend zum Kiezbingo«, sagte ich. »Bei den *Grauen Hummeln*. Wollen Sie mit?«

»Rico, ab auf dein Zimmer«, befahl mir Mama.

»Bitte!«

»Bingo?«, sagte der Bühl. »Das hab ich noch nie … Ist das nicht was für Rentner?«

»Ja, aber es ist ein Platz frei geworden, weil neulich einer von ihnen gestorben ist. Hat bloß keiner bemerkt. Und Mama gewinnt fast immer, manchmal sogar mit meiner Karte!«

Mein Nachteil beim Bingospielen ist, dass selbst die lahmsten Rentner schneller die Zahlen auf ihren Kärtchen abhaken als ich. Spaß macht es mir aber trotzdem.

»Frederico!«, sagte Mama streng. »Abmarsch!«

Wenn sie meinen vollen Namen benutzt, wird es kritisch. Ich fragte mich, warum sie sich so hatte. Es wurde doch gerade erst richtig spannend zwischen ihr und dem Bühl, schließlich mussten die beiden noch Kaffee trinken und alles. Wer weiß, worüber sie dabei miteinander redeten, und womöglich sagte Mama genau das Falsche. Ich hätte ihr helfen können, denn ich wusste aus den Liebesfilmen von Frau Dahling genau, was man in so einem Gespräch alles sagen muss, damit es klappt, aber von meinem Zimmer aus ging das nicht. Ich würde also die ganze Unterhaltung verpassen, außer natürlich –

»Und wenn du lauschst, versteigere ich dich bei eBay! Ich will deine Zimmertür hinter dir zufallen hören.«

Mama schüttete dem Bühl endlich Kaffee ein. Der Bühl guckte mich an, hob beide Hände, zuckte die Achseln und zog eine witzige Miene. Von dem war keine Hilfe zu erwarten. Wahrscheinlich war er selber ganz scharf darauf, mit Mama allein zu sein.

Mann, Mann, Mann!

Ich zischte ab und knallte meine Zimmertür hinter mir zu. Mama kann das nicht leiden, aber das hatte sie jetzt davon. Zehn Minuten später hörte ich, wie der Bühl sich im Flur verabschiedete. Ich schlich an die Tür und lauschte. Danke für den Kaffee und so weiter, aber nichts von wegen, bis morgen Abend also, beim Bingo.

So eine Pleite!

Die Wohnungstür ging auf und wieder zu. Ich schoss sofort raus in den Flur, an Mama vorbei, die so viel Schnelligkeit von mir gar nicht gewohnt ist. Ich wollte dem Bühl unbedingt Tschüs sagen, das war ja wohl nicht verboten. Also die Wohnungstür wieder auf, und raus ins Treppenhaus und –

Es war vermutlich der größte Auffahrunfall, den die Dieffe 93 je erlebt hat. Was für ein Gedrängel! Vor der Tür waren drei Männer ineinandergerannt, und weil ich nur den Bühl im Kopf gehabt hatte, musste ich mir die anderen beiden erst mal näher angucken. Der eine war der Marrak, der gerade die Treppen raufwollte, mit der gesammelten Post von gestern und heute in den Händen, oder wenigstens der Hälfte davon, denn der Rest lag über den Boden verteilt. Der andere war der Kiesling, der die Treppen runterwollte. Der Bühl war genau in dem Moment mit Schwung zu unserer Tür raus, als die zwei anderen sich auf dem Treppenabsatz getroffen hatten, und jetzt bildeten sie alle drei ein einziges Knäuel. Es klingelte und klirrte, während der Marrak versuchte seine Briefe einzusammeln. Er hat nämlich eine eigene Sicherheitsfirma und trägt deshalb immer einen dicken Schlüsselring am Hosenbund von seinem roten Arbeitsanzug. Auf den Anzug ist ein goldener kleiner Tresor draufgestickt. Sehr schick.

Der Kiesling hielt sich mit einer Hand das Hemd zu und glotzte den schönen Bühl so begeistert an, als wollte er ihn auf der Stelle abknutschen – kann also genauso gut sein, dass er sich das Hemd eher aufreißen wollte. Der Bühl selber drehte sich hilflos in diese und jene Richtung, und alle murmelten durcheinander, Entschuldigung, hätte besser aufpassen müssen, so was aber auch, ist ja nicht so schlimm, war so in Eile, ist ja nichts passiert … wem gehört denn das Kind?

Da war nämlich noch etwas Kleines, das irgendwo im allgemeinen Gewühl beinahe untergegangen war. Jetzt musterte es alle drei Männer von oben bis unten, durch ein runtergeklapptes Visier. Dann rief es empört: »Wenn ich den Helm nicht aufhätte, wäre ich jetzt tot!«

Mama war ziemlich platt, dass jemand mich besuchen kam. Sie beschwert sich immer darüber, dass ich keine Freunde habe. Jetzt hatte ich einen. Er war zwar sehr klein und bestimmt auch sehr jung, aber das spielte für Mama offenbar keine so große Rolle. Sie fand Oskars blauen Motorradhelm viel interessanter.

»Seit wann trägt man solche Dinger beim Radfahren?«, sagte sie.

Sie lehnte mit dem Hintern gegen den Küchenherd, ihre Kaffeetasse in den Händen, an der sie immer wieder nippte. Die Tasse vom Bühl stand einsam zwischen Oskar und mir auf dem Tisch, nur halb leer getrunken.

»Ich hab kein Fahrrad«, sagte Oskar. Seine Stimme klang gedämpft, weil das Visier des Helms immer noch runtergeklappt war.

»Na, ein Motorrad aber sicher auch nicht.«

Oskar guckte sie an, als wäre sie nicht ganz richtig im Oberstübchen. Immerhin klappte er jetzt endlich das Visier hoch. Seinen Mund konnte man trotzdem nicht richtig sehen, nur die obere Reihe seiner großen weißen Zähne. »Es ist gefährlich ohne Helm«, erklärte er, als wäre Mama das Kind und er der Erwachsene. »Es passieren ständig irgendwelche Unfälle.«

»Aber nicht in meiner Küche, junger Mann!« Mama klang fast ein wenig beleidigt. »Rico wird dir das sicher bestätigen.«

Ich runzelte die Stirn. »Ich hab mir vor einer Woche den Kopf am Kühlschrank gestoßen.«

»Das war kein Unfall«, winkte Mama ab. »Du bist bloß zu schnell aus dem Flur gekommen und gegen die geöffnete Tür gerannt.«

Oskar fühlte sich unwohl in Mamas Gegenwart, das konnte ich sehen. Er lugte unter dem oberen Rand des Helms hervor wie eine erschreckte Schildkröte. Er trug ein anderes Hemd als am Samstag, aber der knallrote Flieger mit der abgebrochenen Flügelspitze war wieder daran festgemacht, auf Brusthöhe über dem Herzen. Seine kleinen Finger tippten nervös auf dem Tisch herum, *rapp-tippi-tapp*. Wahrscheinlich befürchtete Oskar, Mama fände ihn unhöflich und würde ihn gleich auffordern, den Helm endlich abzunehmen.

Ganz falsch lag er damit nicht, aber auch nicht ganz richtig. Mama kennt sich aus mit komischen Leuten. Ihre erste Regel ist, nie jemanden zu drängeln, der nicht freiwillig mit etwas rausrückt. Jedenfalls nicht mit Worten. Aber sie guckt. Sie guckt die Leute so lange an, bis sie es nicht mehr aushalten und endlich loslegen.

Jetzt guckte sie Oskar an, mit dem neugierigen Blick eines Naturforschers, der soeben eine völlig neue Pflanzenart entdeckt hat. Ich war auch neugierig, wie Oskar unter dem Helm aussah. Vielleicht hatte er in Wirklichkeit gar keine Angst vor Unfällen. Vielleicht hatte er nur zwei ganz komische Ohren, für die er sich schämte. Oder gar keine – wie ein Entführungsopfer von Mister 2000, bei dem das Lösegeld nicht ganz gereicht hatte.

Oskars Finger wurden immer langsamer, dann hörten sie mit dem Getippe auf. Er hob den Kopf, sah Mama direkt in die Augen und sagte: »Sie können mich ruhig weiter anstarren, solange sie wollen. Das macht mir nichts aus. Aber dann starre ich zurück.«

Und das tat er. Zum ersten Mal fiel mir auf, wie grün seine Augen waren. Sie funkelten richtig. Nicht böse oder streitlustig. Sie funkelten einfach deshalb, weil Oskar solchen Spaß am Zurückstarren hatte. In diesem Moment beneidete ich ihn brennend um seine Hochbegabung. Wenn Mama mich anstarrt, schaue ich lieber sofort zu Boden und tue ganz interessiert, als würden da plötzlich bunte Ameisen rumlaufen oder als würde der Teppich ein bisschen brennen. Auf die Idee, ihrem Blick einfach standzuhalten, war ich noch nie gekommen.

Ich war gespannt, wer von den beiden gewinnen würde.

Mama war meine Mama, also sollte ich eigentlich zu ihr halten. Sie machte ihre Sache gut und zuckte mit keiner Wimper. Aber Oskar war viel kleiner als sie, und auch wenn er ebenfalls nicht mit der Wimper zuckte, fand ich den ganzen Anstarrkampf ein bisschen unfair. Entweder Mama dachte das auch, oder sie hatte keine Lust mehr. Jedenfalls sagte sie auf einmal:

»Ich brauch neue Fußnägel.«

Oskar und ich guckten gleichzeitig auf ihre Fußnägel. Auf jedem war ein winziger Delfin drauf, nur auf die beiden kleinen Nägel hatten keine gepasst.

»Was wollen Sie denn statt der Delfine draufkleben?«, sagte Oskar, und es klang wie ein Friedensangebot.

Mama zuckte die Achseln. »Mal sehen. Vielleicht irgendwelche anderen Fische.«

Sie stellte ihre Kaffeetasse auf der Spüle ab, raffte den japanischen Morgenmantel zusammen und ging aus der Küche. Oskar wartete, bis sie außer Hörweite war, dann sagte er leise in meine Richtung: »Delfine sind keine Fische.«

»Sie mag dich«, sagte ich.

Er schüttelte den Kopf. »Sie weiß noch nicht, ob sie mich mag. Sie findet mich komisch, wegen des Helms.« Er klappte das Visier wieder runter. Seine Stimme klang jetzt wieder ganz dröhnig. »Jedes Jahr verunglücken fast vierzigtausend Kinder in Deutschland. Beinahe jedes dritte als Beifahrer in Autos. Fast vierzig Prozent mit dem Fahrrad. Und fünfundzwanzig Prozent als Fußgänger.«

Mathe! Ich hab's ja schon erwähnt: Da geht bei mir gar nichts mehr.

»Die meisten erwischt es auf dem Schulweg und nachmittags beim Spielen«, murmelte Oskar düster weiter. »Von den Radfahrern die meisten, weil sie die falsche Fahrbahn benutzen. Von den Fußgängern die meisten, weil sie, ohne zu gucken, über die Straße rennen. Ich gucke immer. Immer!«

Mir fiel ein Unterschied zwischen uns auf: Ich habe fast dauernd gute Laune, weiß aber nicht so viel. Oskar wusste jede Menge merkwürdiger Dinge, aber seine Laune war dafür im Keller. Bestimmt ist das so, wenn man sehr schlau ist – es fallen einem zu allen schönen Sachen auch gleich noch ein paar schreckliche ein.

Ich sprang auf. Mir war eine Idee gekommen. »Ich zeig dir was«, sagte ich. »Es ist völlig ungefährlich und ganz toll!«

»Was denn?«

»Warte, muss erst noch kurz mit Mama reden.«

Ich stürmte ins Wohnzimmer – heute war wirklich ein schneller Tag –, wo Mama mit untergeschlagenen Beinen auf unserem Nachdenksessel vor der Fensterbank saß. Sie schaute zum Fenster raus. Ihr Blick war ganz weit weg. Um sie herum keine Spur von Nagellack oder neuen kleinen Zehenbildchen. Wahrscheinlich hatte sie gelogen und wollte einfach nur ihre Ruhe haben.

»Wie findest du ihn?«, flüsterte ich.

Sie wandte sich mir zu und zog die Nase kraus. »Ich finde

ihn merkwürdig. Wo hast du ihn denn aufgegabelt? Ich hab noch nie ein Kind mit Sturzhelm –«

»Ich meine nicht Oskar. Ich meine den Bühl!«

»Oh …« Plötzlich wirkte sie so müde, als hätte sie eine Woche lang nicht geschlafen. Ihre Augen gingen langsam zu und wieder auf und dann redete sie, langsam und eindringlich.

»Rico, pass mal auf. Ich weiß, dass du dich nach einem Vater sehnst. Und ich wünschte mir für uns beide, wir hätten einen im Haus, das musst du mir glauben! Aber das bedeutet nicht, dass ich mit jedem Mann anbändeln kann, der deiner Ansicht nach für diese Rolle in Frage kommt.«

Na gut, sie fand den Bühl also fürchterlich. Wahrscheinlich lag es an ihrem Job, wo sie dauernd von irgendwelchen Typen angebaggert wird. Da ist es verständlich, wenn man im Privatleben nichts mehr von ihnen wissen will. Aber wenn das so weiterging und Mama nicht aufpasste, kriegte sie womöglich irgendwann das graue Gefühl. Bis jetzt hat sie noch nie einen Freund mit nach Hause gebracht, dabei lernt sie auf der Arbeit jede Menge Männer kennen, viel mehr als Frau Dahling hinter der Fleischtheke. Da muss doch mal ein passender dabei sein!

»Sag mir trotzdem, wie du ihn fandest. Bitte!« Meine Stimme war drängelig. Mir lag etwas daran, dass sie den Bühl mochte, wenigstens ein bisschen. *Ich* hatte ihn gemocht.

»Simon Westbühl.« Sie überlegte. »Tja, also … Ich würde sagen, der Kerl ist mit Abstand die schärfste Schnitte, die ich in meinem ganzen Leben getroffen habe.«

Ich hätte mich gern gefreut, für sie und für mich. Aber Mama schaute bloß wieder zum Fenster raus. Jetzt wirkte sie nicht mehr nur müde, sondern auch beinahe traurig, und obwohl sie direkt vor mir war, kam sie mir so weit entfernt vor wie ein einsames Menschenpünktchen am Horizont. Manchmal verstehe ich sie überhaupt nicht.

HORIZONT: Die Stelle auf der Welt ganz hinten, wo die Erde und der Himmel aufeinanderstoßen. Oder das Meer und der Himmel. Erde und Meer geht nicht, außer senkrecht, aber das heißt dann garantiert anders. Zum Beispiel Merizont.

AUF DEM DACH

Das Männergewusel hatte sich aufgelöst, vor unserer Wohnung war niemand mehr zu sehen. Als ich die Tür hinter mir zuzog, fragte ich Oskar: »Wer hat dich eigentlich vorhin ins Haus gelassen?«

Sein Helmvisier war wieder hochgeklappt. Er holte tief Luft, als hätte er die Frage längst erwartet und könnte jetzt endlich, endlich eine Antwort darauf geben. »Gar niemand, die Haustür stand auf!«, stieß er empört aus. »Da könnte sonst wer reinkommen! Mörder, Einbrecher, Betrunkene, die in den Flur pinkeln. Was habt ihr bloß für Nachbarn? Das ist dermaßen *leichtsinnig!*«

Ich zuckte die Achseln. Ich hatte die Haustür auch schon offen stehen gelassen. Sie hat hinten so einen kleinen Haken. Der klinkt, wenn man sie volle Kanne nach innen aufschubst, in einen Halter an der Wand ein. Keine große Sache, außer man heißt Oskar. In Oskars Leben ist offenbar alles gefährlich – zumindest scheint er das zu denken.

»Und woher hast du gewusst, bei wem du klingeln musst?«

»Vom Namensschild, unten am Eingang.« Seine Stimme war ganz kieksig geworden und schallte wie eine Bugwelle vor uns her die Treppen rauf. »Der stand *offen!*«

»Ja, ja, hast du ja schon gesagt.« Ich wurde nervös. Wenn er weiter so herumkrähte, würde uns womöglich noch Fitzke abfangen. Ich nahm rasch die ersten Treppenstufen nach oben. »Also, wie hast du es rausgefunden?«

Er stolperte auf seinen kurzen Beinen hastig neben mir

her, aber endlich beruhigte er sich ein wenig. »Du hast gesagt, dass dein Vater Italiener war. Doretti ist der einzige Name auf den Klingelschildern, der italienisch klingt.«

Ich ärgerte mich, dass ich nicht selbst darauf gekommen war, aber ich fand Oskars Schlussfolgerung auch toll detektivisch.

»Kennst du Miss Marple?«, fragte ich.

»Nein. Wohnt die auch hier im Haus?«

Ha! Das war die Gelegenheit, ihn ein bisschen zu verspotten! Die Filme mit Miss Marple kennt schließlich jeder. Aber vielleicht gucken Hochbegabte kein Fernsehen, sondern treten nur darin auf, um Primzahlen bei *Wetten, dass ..?* runterzurattern und so weiter. Also verkniff ich mir eine Bemerkung. Außerdem: Wenn man jemanden mag, verspottet man ihn nicht, und vermutlich konnte Oskar so etwas sowieso zehnmal besser als ich, und er würde mir gegenüber hundert Mal mehr Gelegenheit dazu finden. Ich dachte an die kleine Sophia aus Tempelhof mit ihrem Mondgesicht und dem dicken roten Erdbeerklecks auf dem zerknitterten T-Shirt. Die war an ihrer Schule bestimmt das Verspottungsopfer Nummer eins.

»Nun renn doch nicht so!«, keuchte Oskar. Er hatte Mühe, mir zu folgen. Hätte er das Helmvisier runtergeklappt, wäre es bestimmt total beschlagen von seinem Atem. »Wo bringst du mich überhaupt hin?«

Widerwillig ging ich etwas langsamer. Inzwischen waren wir fast im vierten Stock angekommen – Fitzkes Jagdrevier.

Und Fitzke wird pampig, wenn im Treppenhaus gelärmt wird. Er hasst Lärm noch mehr als Frau Dahling.

»Wir gehen rauf in den Fünften«, sagte ich mit gesenkter Stimme.

»Was ist da?«

»Na, der Fünfte.«

»Ich meine, was wollen wir da?«

Ich grinste. »Wirst schon sehen. Ich hoffe, du bist schwindelfrei.«

»Schwindelfrei?«, kreischte Oskar wieder los. Er klang wie eine durchgedrehte Alarmsirene. »Du willst doch nicht etwa mit mir aufs Dach?«

Im nächsten Moment krachte es, eine Tür flog auf und eine Welle üblen Geruchs schlug uns entgegen. Fitzke stand in seinem verlotterten gestreiften Schlafanzug vor uns wie der Racheengel aller Altkleidersammler. Seit ich ihn Samstag zuletzt gesehen hatte, hatte er sich immer noch nicht rasiert und anscheinend auch nicht gekämmt, und da hatte er schon ausgesehen wie ein Wischmopp, der in einer Steckdose steckt.

»Geht's noch lauter, ja?«, polterte er los. »Ich hab's am Herzen! Was soll denn dieser Lärm im –« Er unterbrach sich und starrte überrascht Oskar an, der mindestens drei Meter kleiner war als er. Oskar klappte blitzschnell sein Visier runter und starrte zurück.

»Was bist denn du für'n komischer Vogel? Hat der Schwachkopf sich Verstärkung aus der Klapsmühle geholt, oder was?«

Keine Antwort.

»Kannste nicht sprechen?« Fitzke klopfte mit einem Finger dreimal fest auf den Helm. »Hallo? Ich hab dich was gefragt!«

»Sie müffeln!«, dröhnte Oskar plötzlich durch das Visier. »In den Entwicklungsländern ist mangelnde Hygiene eine der häufigsten Krankheitsursachen! Sie sollten dankbar sein, dass es bei uns fließendes warmes Wasser und Seife gibt. Und Sie sollten davon Gebrauch machen.«

Fitzke musterte ihn wie ein winziges Insekt, das ihn furchtbar nervte und das er gleich mit der flachen Hand platt schlagen würde. Sein Blick glitt von Oskars Helm auf das knallrote Flugzeug an seinem Hemd und wieder zurück zum Helm. Ich hielt die Luft an.

»Wer bist du?«, knurrte Fitzke endlich.

»Oskar. Und Sie?«

»Geht dich nichts an. Und jetzt verschwindet, bevor ich euch die Köpfe abreiße und Fußball damit spiele!«

Das war das Schrecklichste, was ich je gehört hatte! Fitzke wirbelte herum, Tür zu – RUMMS! Oskar machte zwei schnelle Schritte nach vorn, streckte entschlossen eine Hand aus und drückte auf die Klingel.

»Bist du übergeschnappt?«, zischte ich. »Der macht Hackepeter aus uns, wenn wir ihn weiter nerven!« Oder er riss uns wirklich die Köpfe ab. Wie konnte man bloß so bösartig sein!

»Die Klingel ist kaputt«, schnaubte Oskar, als hätte er

meine Warnung nicht gehört. Er ballerte mit der rechten Faust so fest gegen die Tür, als wollte er sie einschlagen.

»Was machst du denn da bloß!« Ich packte ihn beim Handgelenk und zerrte ihn fort. Langsam wurde ich selber sauer.

»Der ist unhöflich!« Oskar klappte das Visier hoch. Sein Gesicht war puterrot angelaufen. »Ich lasse mich nicht unhöflich behandeln, nur weil ich ein Kind bin!«

»Das ist der Fitzke, der ist eben so. Er meint es wahrscheinlich gar nicht böse.«

Er meinte es garantiert sehr böse, aber Oskar war schon aufgebracht genug. »Und ich bin keiner aus der Klapsmühle!«, brüllte er die verschlossene Tür an.

»Der sagt das zu jedem, das darfst du gar nicht beachten«, drängelte ich. »Nun komm schon!«

Endlich folgte er mir. Aber noch während wir die letzten Stufen in den Fünften nahmen, drehte er sich immer wieder um, als erwartete er, dass Fitzke doch wiederauftauchen und hinter uns herstürmen könnte. Und bis ich uns in die Wohnung der Runge-Blawetzkys einließ, blieb seine rechte Hand zu einer Faust geballt.

77

Bevor die RBs letzten Freitag in den Urlaub abgezischt sind, haben sie mich gefragt, ob ich ihre Zimmerpflanzen und die Blumen auf dem Dachgarten versorge. Gegen ein kleines Taschengeld. Klar, hab ich gesagt. Da war ich noch scharf auf ein neues Basecap, aber da wird nun wohl nichts mehr draus. Inzwischen habe ich nämlich beschlossen, das ganze Geld in den Reichstag zu stecken, für den Fall, dass Mama ein möglichst großes Stück von mir von Mister 2000 freikaufen muss.

Wenn man bei den RBs reinkommt, geht's durch einen großen offenen Flur in eine noch größere Wohnküche. Aus den Fenstern hat man eine schicke Aussicht, über das flache Urban-Krankenhaus und die nächsten Straßen hinweg bis rüber nach Tempelhof. Eine schmale Treppe führt direkt aus der Küche rauf auf den Dachgarten. Mehr gibt es bei den RBs zurzeit leider nicht zu besichtigen, das hab ich schon ausgekundschaftet. Sie haben alle übrigen Räume vorsorglich abgeschlossen, sogar das Zimmer von ihrem dicken Thorben, der mich heimlich immer verarscht, wenn kein anderer es mitkriegt. Vermutlich denken die, ich würde bei ihnen herumschnüffeln. So was von misstrauisch. Ihre gesammelten Zimmerpflanzen hatten sie vor der Abreise zum Gießen auf den Küchentisch gestellt. Ich lotste Oskar daran vorbei und vor mir her die Treppe rauf. Die Wohnung interessierte ihn überhaupt nicht, er sah sich nicht mal neugierig um.

Der Dachgarten von den RBs hat die Form von einem ausgebreiteten Handtuch. Wenn man aus der Terrassentür tritt, kann man bis zur Brüstung gehen und in den Hinterhof runtergucken, oder man geht auf die andere Seite und guckt runter auf die Dieffe. Es stehen gerade mal ein paar Blumentöpfe und bepflanzte Kübel mit Grünzeugs rum. Der meiste Platz wird von Holzstühlen, einem Tisch und einer Bank eingenommen, und wenn man sich ein Kissen für unter den Hintern mitnimmt und einen Comic und eine Cola, kann man es sich ziemlich gemütlich machen. Die Luft trägt die Geräusche der ganzen Stadt mit sich, ein nie endendes, gedämpftes Brummen und Summen und Rauschen. Und die Aussicht ist phänomenal.

PHÄNOMENAL: Großartig, fantastisch, einzigartig, voll cool. Das Wort kannte ich vorher schon. Ich schreib es trotzdem hier auf, um zu beweisen, dass ich manchmal auch ein Fremdwort kenne.

Wenn man in der Mitte des Dachgartens steht, die Arme ausstreckt und sich im Kreis dreht, kann man in jede Himmelsrichtung über Berlin gucken. Man sieht hunderte von Häuserdächern und tausende grüner Baumkronen, die gläserne, in der Sonne blitzende Reichstagskuppel, jede Menge Kirchtürme, den Fernsehturm am Alex, die Hochhäuser am Potsdamer Platz und, ein bisschen weiter weg, sogar das

Schöneberger Rathaus. Am Himmel über einem ist fast immer irgendwo ein Flugzeug unterwegs, das in Tempelhof oder Tegel startet oder landet. Dreht man sich etwas schneller, flirren all diese Bilder ineinander und es wird einem schwindelig. Und dreht man sich *wahnsinnig* schnell, flitscht man wahrscheinlich mit ein paar Blumentöpfen über eine der Brüstungen und rauscht mit ihnen um die Wette nach unten, in den Hinterhof oder auf den Gehsteig, wo man dann zerplatzt wie eine reife Tomate. Echte Blutmatsche und dergleichen. Weshalb ich wahnsinnig schnell noch nie versucht habe. Ich bin ja nicht völlig plemplem.

Oskar war von alldem kein bisschen beeindruckt. Er drückte sich mit dem Rücken gegen die Terrassentür, und was der Helm von seinem Gesicht freigab, war sehr bleich. Sogar seine Stimme war irgendwie bleich, als er sich beklagte. Und vorwurfsvoll.

»Du hast gesagt, hier oben wäre es toll und ungefährlich!«

»Ist es doch auch.«

Meine Hoffnung, er würde den Helm mal abnehmen, konnte ich mir wohl abschminken. Was war bloß mit ihm los? Ich hatte angenommen, dass jemand, der immer nur an geplättete Radfahrer und überfahrene Fußgänger dachte, sich über ein bisschen Abwechslung freuen würde. Und es *war* ungefährlich hier oben, außer natürlich, ein Flugzeug plumpste aufs Haus. Ich überlegte, ob ich Oskar fragen sollte, wie viel er über Flugzeugabstürze wusste, aber vermutlich war das keine gute Idee.

»Ich war noch nie auf einem Dach«, sagte er kläglich. »Und jetzt weiß ich auch, warum.«

Ich zeigte auf die Brüstung in Richtung Dieffe. »Du warst nicht mal bis am Rand. Du kannst dich doch am Geländer festhalten.«

»Ich kann auch schwimmen«, stöhnte er, »aber ich würde trotzdem nicht in ein Becken voller Piranhas springen.«

»Was sind Piranhas?«

»Räuberische Fische mit sehr scharfen Zähnen aus der Familie der Salmler. Sie leben in den tropischen Süßgewässern Südamerikas. Ein verletztes Tier oder einen Menschen zerfetzen sie in ein paar Sekunden in lauter kleine Stücke.«

Na gut. Sollte ich mal einem von dieser Familie Salmler begegnen, wüsste ich jetzt Bescheid. Trotzdem …

»Hast du eigentlich immer vor irgendwas Schiss?«, sagte ich.

»Das ist kein Schiss. Es ist Vorsicht.«

Ich hätte Cola mitnehmen sollen oder Limonade, vielleicht hätte Oskar sich dann wohler hier oben gefühlt. Runter in den Zweiten wollte ich dafür nicht rennen, und der Kühlschrank der RBs, in den ich nach ihrer Abreise zufällig mal reingeguckt hatte, war leer. Komplett ausgeräumt. Geizhälse!

»Reine Vorsicht«, wiederholte Oskar murmelnd. »Selbsterhaltungstrieb.«

Ich sah ihn hilflos an. Ich hatte ihn nicht ohne Grund hier raufgebracht. Langsam schwante mir, dass meine tolle Idee ihn nicht begeistern würde, aber da wir nun schon mal hier oben waren, konnte ich es wenigstens versuchen.

Ich zeigte auf die klappbare Trennwand aus dicken, eng aneinandergeflochtenen Bambusstangen, die den benachbarten Dachgarten von dem der RBs abgrenzt.

»Magst du mal durch den Pavian gucken?«

»Es heißt Paravent.«

»Weiß ich. Wollte dich nur kurz testen.«

Gott sei Dank guckte er mich nicht an, sonst hätte er sofort gesehen, dass mir das Blut in den Kopf schoss. Am liebsten hätte ich mir seinen Helm übergestülpt.

PARAVENT: Leicht zu verwechseln mit diesem Affen mit dem knallroten Hintern. Ein Paravent schützt vor Zugluft und neugierigen Nachbarn. Er heißt auch spanische Wand, also wurde er wohl von den Spaniern erfunden. Es gibt ein Land, das heißt Kamtschatka. Wäre der Wandschirm dort erfunden worden, könnte ihn beim Einkaufen keiner richtig aussprechen und viel mehr Leute würden sich erkälten. Man muss also den Spaniern dankbar sein.

»Was ist dahinter?«, sagte Oskar.

»Der Dachgarten vom Marrak.«

»Wer ist das?«

»Einer von den drei Männern vorhin im Treppenhaus. Der im roten Anzug mit dem goldenen Tresor drauf. Er hat eine eigene Firma.« Ich holte unauffällig tief Luft. »Sicherheitsmanagement mit Schwerpunkt Kontroll- und Schließdienst.«

Ich sagte den Satz so lässig wie möglich, als ob ich auf einer Wiese im Vorbeigehen ein Gänseblümchen pflückte. Aber in Wirklichkeit wäre ich dabei fast ohnmächtig geworden, und jetzt wollte ich vor Stolz fast platzen, weil ich keinen einzigen Fehler gemacht hatte. Der Marrak hatte mir mal eine Visitenkarte von seiner Firma geschenkt. Ich hatte sie eine Woche lang jeden Tag mindestens zehn Mal studiert und den ganzen Schlüsselkram auswendig gelernt, um irgendwann mal irgendwen damit zu beeindrucken. Dass es ausgerechnet der schlaue Oskar sein würde, hätte ich mir nie träumen lassen.

Neben mir sagte Oskar völlig unbeeindruckt: »Verstehe.«

Ich finde, er kann einem echt die gute Laune vermiesen. Andererseits hätte ich mir ja denken können, dass für ein hochbegabtes Kind komplizierte lange Ausdrücke ein Klacks sind. Wie machen die das nur, dass die so viel wissen und sich neue Sachen sofort behalten? Und was wissen sie nicht?

»Wie weit ist die Erde vom Mond weg?«, fragte ich.

»Knapp vierhunderttausend Kilometer.«

Aha, na bitte! Die Antwort kam zwar wie aus der Pistole geschossen, aber knapp vorbei ist auch daneben, und ruck, zuck ist man nicht auf dem Mond gelandet, sondern auf dem Mars, dem Jupiter oder Uranus.

»Die genaue mittlere Entfernung«, sagte Oskar langsam neben mir, »beträgt 384 401 Kilometer.«

Okay, gewonnen! Ganz aufgeben wollte ich trotzdem noch nicht. »Das musstest du aber erst überlegen, oder?«

»Ich dachte, du wolltest wissen, wie weit der Mond *heute* von der Erde entfernt ist. Aber dazu müssten wir die tägliche Parallaxe ermitteln, und das geht nur, wenn —«

»Ist schon gut.« Jetzt gab ich's auf. »Also, willst du dir nun den anderen Dachgarten angucken oder nicht?«

»Warum?«

»Weil ich dir was zeigen will. Es ist kein bisschen gefährlich!«, fügte ich schnell hinzu, bevor er wieder seine Sirene anwerfen konnte. »Wir müssen nur ein wenig aufpassen, schließlich ist der Marrak eben erst nach Hause gekommen. Womöglich kreuzt er bei dem guten Wetter gleich auf, um sich in die Sonne zu legen.«

Endlich, wenn auch nur zögernd, löste Oskar sich von der Terrassentür. Wenn man die Bambusstangen des Paravents ein bisschen auseinanderdrückt, kann man prima auf die andere Seite spähen. Der Dachgarten vom Marrak ist viel größer als der von den RBs. Es stehen mehr Pflanzen drauf, schickere Möbel, und der Boden besteht, anders als der rotbraune Kachelboden der RBs, aus dicken, schön gestreiften Holzbohlen.

»Schick«, flüsterte Oskar. Er hatte sich dicht neben mich geschoben und half mir beim Auseinanderdrücken der Bambusstangen. Seine Finger waren kurz und die Nägel winzig und abgekaut. Da würde nicht mal das kleinste von Mamas Nagellackbildern draufpassen.

»Was ist das für ein Häuschen, das mit dem spitzen Dach?«, sagte er. »Da ganz hinten links?«

»Wo ist noch mal links?«

Am liebsten hätte ich mir auf die Zunge gebissen. Ich hatte die Frage gar nicht stellen wollen, sie war mir einfach automatisch aus dem Mund gepurzelt. Das blöde Häuschen sah ich schließlich direkt vor mir, jedenfalls sein Dach, denn der Zugang war von beiden Seiten durch weitere Paravents aus Bambus unseren Blicken verborgen. Aber Oskar sagte nur:

»Links ist, wo man das kleine Dach sieht.«

»Genau. Klar. Pass auf: Von dem Häuschen aus kommt man eigentlich über eine Treppe runter ins Hinterhaus. Aber nur früher, jetzt nicht mehr. Der Marrak hat mich mal reingucken lassen, als ich mir seine Wohnung angeschaut habe. Die Tür zum Häuschen ist abgeschlossen, im Hinterhaus gab es nämlich mal eine Gasexplosion. Seitdem ist es einsturzgefährlich.«

Oskar wandte mir ruckartig den Kopf zu. Um ein Haar

hätte er mir mit dem hochgeklappten Visier ein Ohr abgesäbelt. »Es ist was?«

»Einsturzgefährlich. Wenn du so schlecht hörst unter deinem komischen Helm —«

»Es heißt gefährdet, nicht gefährlich.«

»Hab ich doch gesagt.«

»Hast du nicht.«

»Hab ich wohl.«

»Hast du wohl!«

»Hab ich nicht!«

Oskar zog triumphierend die Nase hoch. »Na bitte.«

Irgendwas war bei dem schnellen Schlagabtausch schiefgegangen, aber ich hatte keine Zeit, darüber nachzudenken. Oskar zeigte auf das Häuschen mit der abgeschlossenen Tür hinter den Paravents. »Warum sollte ich mir das angucken?«

»Weil ich da mit dir reinwill.«

»Ins Hinterhaus?«

Ich nickte.

»Jetzt spinnst du aber wirklich! Wenn es einsturzgefährdet ist, kriegen mich da keine zehn Pferde rein.«

Meine Güte, ich wollte ja auch nicht da reinreiten! Eigentlich wollte ich mich bloß endlich mal davon überzeugen, dass es keine Tieferschatten im Hinterhaus gab. Und kein geistiges Fräulein Bonhöfer. Mit Oskar an meiner Seite wäre das nicht gruselig, sondern ein tolles Abenteuer für uns beide.

»Und da das Hinterhaus genauso abgeschlossen ist wie das

Häuschen da drüben«, Oskar zeigte auf das spitze Dach, »besteht sowieso keine Chance. Wofür hältst du mich, für einen Schlossknacker?«

»Ich dachte, wir fragen den Marrak nach einem Schlüssel. Er könnte ja mitgehen. Wir könnten gucken, was in den verlassenen Wohnungen noch alles drin rumfliegt«, unternahm ich einen letzten lahmen Versuch. »Ein paar tolle alte Sachen. Oder so.«

»Vergiss es.«

Die Antwort kam so entschlossen, dass ich sauer wurde. »Hast du etwa schon wieder Angst?«, sagte ich herausfordernd.

»Mit Angst hat das nichts zu tun. Nur mit Vernunft.«

»Also doch!«

»Du kannst einen echt nerven, weißt du das?«, sagte Oskar mit einem Seufzer. Er holte tief Luft und ging zur Gitterbrüstung, über die man in den Hinterhof schauen kann. Vorsichtig beugte er sich darüber, wenn auch nur ein winziges Stück. Er stellte sich sogar auf die Zehenspitzen und begann ganz sacht zu wippen, wie zu unhörbarer Musik.

Als ich ihn so da stehen sah, passiert was Komisches: Ich musste an Mollie Eins und Mollie Zwei denken. Mollie Eins war ein Geschenk von Mama zu meinem fünften Geburtstag. Ich hatte noch nie zuvor einen Hamster gesehen, oder ich hatte mal einen gesehen, es aber vergessen. Jedenfalls fand ich Mollie toll. Sie puckerte durch die Gegend und schnupperte mit ihrer winzigen rosigen Nase in die Luft. Mama hatte sie in ein kleines geflochtenes Körbchen gesetzt und ihr eine gelbe Schleife um den Bauch gebunden.

»Einen Käfig gibt's natürlich auch. Den hab ich im Wohnzimmer versteckt. Wart mal, ja, Schatz?«

Ich hatte nur begeistert genickt und Mollie aus dem Körbchen genommen. Etwas so kleines und warmes Lebendiges wie sie hatte ich nie zuvor in den Händen gehalten. Ich drückte sie fest an meine Brust, weil ich sie so liebhatte, und es machte knack.

Mollie Zwei kriegte ich eine Woche später, weil ich nicht mehr aufhörte zu heulen. Sie zog in den Käfig der unvergessenen Mollie Eins. Die hatte ich inzwischen mit Mama in einem kleinen Park begraben, von dem ich inzwischen leider den Namen nicht mehr weiß, aber ich hoffe, es geht ihr gut.

Mollie Zwei hielt viel länger als ihre Vorgängerin. Mama hatte mir eingeschärft, sie nicht zu fest zu drücken, also drückte ich Mollie nicht. Aber ich ließ sie in meinem Zimmer rumlaufen, und eines Tages war sie verschwunden und tauchte nicht wieder auf.

»Das war's«, sagte Mama, nachdem wir mindestens drei Mal die ganze Wohnung auf den Kopf gestellt hatten. »Keine Hamster mehr. Ich glaube, Frederico, du bist noch nicht in der Lage, für etwas Kleines wirklich Verantwortung zu übernehmen. Tut mir leid. War wohl mein Fehler.«

Oskar war fertig mit Wippen und drehte sich zu mir um.

»Bitte sehr! Zufrieden?«

»Für den Anfang ganz okay«, sagte ich großmütig.

»Und du?« Er musterte mich. »Hast du vor gar nichts Angst?«

»Doch. Ich hab Angst, ich könnte mich mal in der Stadt verirren«, gab ich zu. »Ich find mich nicht zurecht, weißt du. Mit dem vielen links und rechts und dergleichen.«

»Ist das schon mal passiert?«

»Nee, ich war ja noch nie allein unterwegs. Wäre aber auch gar nicht so schlimm, eigentlich. Mama sagt, wenn's mich irgendwann mal erwischt, soll ich mich einfach in ein Taxi setzen und nach Hause bringen lassen. Falls sie nicht da ist, wird schon irgendwer aus dem Haus das Geld vorlegen.«

»Gute Idee. Und sonst, außer Verirren?«

Vorsichtshalber schüttelte ich den Kopf. Es gab da zwar etwas, vor dem ich mich noch mehr fürchtete als vor dem Verirren, und ich hatte auch schon darüber nachgedacht, dass ich Oskar darin einweihen musste, sobald wir echte Freunde wurden. Schließlich vertrauen Freunde einander. Nur war ich mir nicht sicher, ob er wirklich schon mein echter Freund war. Ich musste das überprüfen.

»Kommst du morgen wieder?«, fragte ich ihn.

Ich spürte, wie mein Kopf rot wurde vor Aufregung. Das war ein ziemlich schlauer Test, fand ich. Echte Freunde haben immer füreinander Zeit. Sie wollen möglichst viele schöne Dinge miteinander erleben. Wenn Oskar jetzt nein sagte …

Er guckte mich zögerlich an, wie etwas, das im Regal im Supermarkt vor ihm lag und von dem er nicht sicher war, ob er es wirklich kaufen wollte. Er kratzte sich am Arm. Er zupfte an seinem Ansteckflieger. Er knabberte mit seinen großen Zähnen auf der Unterlippe herum.

»Eigentlich«, sagte er dann, »habe ich morgen schon was vor. Das kann den ganzen Tag dauern.«

Fast konnte ich hören, wie mein Herz auf den Dachfliesen der RBs aufschlug. Aber nur fast. Im letzten Moment gab Oskar sich einen Ruck. »Das kann ich aber auch später erledigen, schätze ich«, sagte er schnell.

Erleichtert streckte ich einen Arm aus. »Sind wir jetzt echte Freunde?«

Er drückte seine kleine Hand in meine. Sie war ganz warm. Er lächelte. »Sind wir das nicht schon die ganze Zeit?«

Jetzt sitze ich hier und schreibe, obwohl ich normalerweise um diese Zeit längst schlafe. Aber Mama ist mit Irina und ihren neuen Fußnägeln ausgegangen – sie hat sich doch noch welche aufgeklebt, kleine weiße Margeriten mit superwinzigen gelben Blütenstaubdingern in der Mitte (das guck ich jetzt nicht nach), und hat gesagt, ich darf ins Bett gehen, wann ich Lust habe. Immerhin sind ja Ferien. Tja, und jetzt sitze ich hier und muss alles aufschreiben, was ich überlege, damit ich es morgen noch weiß.

Erst mal muss ich feststellen, dass es zur Hälfte ein sehr erfolgreicher Tag war. Oskar ist jetzt mein Freund, auch wenn er einen an der Waffel hat, und Mama findet, dass der Bühl eine scharfe Schnitte ist, auch wenn sie nicht mit ihm anbändeln will. Anbändeln ist erst Ausgehen, dann Verlieben, Heiraten und Kindermachen. Ich könnte Mama sagen, dass mir die Reihenfolge egal ist, dann überlegt sie es sich vielleicht anders und lädt den Bühl doch noch für morgen zum Bingo ein.

Hoffentlich!

Vorhin hab ich im Nachdenksessel gehockt und zum Fenster rausgeguckt. Es ist nämlich immer noch so gut wie Vollmond, und wenn man den Kopf ein bisschen verdreht, kann man ihn zwischen den Ästen von diesen Bäumen mit der komischen Pelle-Rinde sehen. Heute ist der Mond ganz orange. Womöglich brennt's da also gerade in knapp vierhunderttausend Kilometern Entfernung. Jedenfalls, ich saß da so und dachte über den Tag nach, und da fragte ich mich plötzlich, was das eigentlich heute im Treppenhaus war, diese Sache mit dem Auffahrunfall. Ich meine, heute ist Montag! Warum ist da einer wie der Bühl überhaupt im Treppenhaus unterwegs gewesen? Der muss doch irgendeinen Job haben, sonst könnte er nicht eine so teure Wohnung mieten. Hat der gerade Urlaub, oder was? Genauso der Kiesling – auch am helllichten Tag auf Achse, dabei sollte er eigentlich in Tempelhof Zähne basteln. Nur dass der Marrak um diese Zeit anrückt, ist nicht außergewöhnlich, der kann sich mit seiner eigenen Firma die Zeit schließlich frei einteilen.

Sehr merkwürdig.

Mann, was freu ich mich auf morgen! Oskar kommt und wir gehen am Landwehrkanal spazieren, auch wenn Oskar das noch gar nicht weiß. Das wird toll. Wenn gutes Wetter ist, essen wir unterwegs vielleicht ein Eis. Nee, wir essen auf jeden Fall ein Eis. Und dabei erzähle ich Oskar, was meine größte Angst ist und woher sie kommt. Dann erzähle ich ihm die Geschichte, wie mein Papa gestorben ist.

RAUF UND RUNTER

Manchmal wacht man morgens auf, öffnet die Augen und es fällt einem sofort etwas Schönes ein. Es ist, als ginge im Bauch eine kleine Sonne auf, die einen innen drin ganz warm und hell macht.

Oskar und ich waren für zehn Uhr heute Vormittag verabredet. Ich lag zusammengekuschelt im Bett und stellte mir vor, wie wir nachher zusammen am Landwehrkanal spazieren gingen. Allein gehe ich immer nur geradeaus über die Admiralsbrücke zum Förderzentrum, um dort abzubiegen, fehlt mir einfach die Traute. Sobald ich einen Anhaltspunkt aus den Augen verloren habe, ist bei mir nämlich Feierabend plus Wochenende. Ich würde mich sogar in einem Supermarkt mit einem einzigen Gang verlaufen. Absolut keine Chance.

Aber heute würde ich Oskar bei mir haben. Wir konnten abbiegen, wo wir wollten. Wir würden sehr, sehr weit den Kanal entlanggehen, irgendwohin, wo ich noch nie zuvor gewesen war. Mit einem hochbegabten Begleiterfreund an seiner Seite ist Sehrsehrweit ein Klacks. Selbst wenn man sich doch mal verläuft, kann der Begleiterfreund nach dem Weg fragen und er behält sich, was ihm die Leute erklären, von wegen links und rechts und dergleichen. Ein Klacks!

Durch das Fenster sah ich die Wand vom Hinterhaus hell schimmern. Keine Wolkenschatten. Es würde ein schöner Tag mit Oskar werden. Und heute Abend ging ich mit Mama zum Bingospielen. Vielleicht konnte ich sie sogar überreden, den Bühl doch noch mitzunehmen. Oder ich konnte den

Bühl fragen, ob er nicht ganz zufällig im Gemeindezentrum aufkreuzen wollte. Er könnte ja behaupten, dass er seine hilflose alte Mutter sucht, die letztes Jahr beim Einkaufen in so einem Supermarkt mit nur einem Gang verlorengegangen ist, irgendwo ganz hinten, zwischen der Fischtheke und den Süßigkeiten, genau weiß man es bis heute nicht, es ist ein Rätsel, die arme Frau!

Ich guckte auf meinen Mickymaus-Wecker. Fast neun Uhr, ich hatte noch eine Stunde Zeit. Glaubte ich jedenfalls. Es konnte auch Viertel vor zwölf sein, weil ich den kurzen und den langen Arm von Micky manchmal durcheinanderbringe, aber erstens wache ich nie so spät auf, nicht mal in den Ferien, und zweitens wäre ich von Oskar, falls ich verschlafen hätte, bestimmt längst wach geklingelt worden.

Ich sprang aus dem Bett, ging pinkeln und lief dann auf Zehenspitzen an Mamas Schlafzimmer vorbei in die Küche, um mir Knuspermüsli zu machen und Saft zu trinken. Zehn Minuten später hatte ich gefrühstückt, mir die Zähne geputzt und war fix und fertig angezogen.

Viel zu früh.

Wenn ich auf etwas warte oder sonst nicht weiß, was ich gerade machen soll, setze ich mich im Wohnzimmer in den Nachdenksessel. Ich weiß nicht mehr, wann Mama und ich ihn Nachdenksessel getauft haben, aber wir lieben ihn sehr. Er ist dick und gemütlich. Manchmal brauche ich ihn bloß, um die Bingomaschine zu beruhigen. Aber man kann darin auch prima sitzen und Comics lesen oder man guckt zum Fenster raus in die Blätter der Bäume, die vom Wind bewegt werden. Manchmal setzen sich Spatzen in ihre Äste und tschilpen sich aufgeregt gegenseitig an. Man kann sich auch Geschichten mit Helden wie dem O und seinem Holzpferd ausdenken oder man überlegt sich wichtige Fragen, zum Beispiel, ob Miss Jane Marple jemals Mister Stringer heiraten wird. Der ist ihr bester Freund, aber schrecklich paddelig und eigentlich zu dumm für Miss Marple, aber sie hat ja sonst niemanden zum Verlieben, außer diesem dicken Besitzer vom Pferdestall, der ihr aber bei jeder Gelegenheit an den Beinen rumzutatschen versucht.

Stunden später, als Mama aufstand, saß ich immer noch im Nachdenksessel. Inzwischen war ich schon hundert Mal aufgesprungen, ans Fenster gelaufen und hatte runter auf die Dieffe geguckt. Irgendwann hatte ich den Marrak gesehen, wie er aus dem Haus trat und losmarschierte, wie immer auf dem Weg zu seinem irgendwo in der Nähe geparkten Auto. Aber das war's auch schon.

Kein Sturzhelm weit und breit.

Kein kleines Blau.

Kein Oskar.

Ich schlappte zu Mama in die Küche, mit so viel schlechter Laune in mir drin, dass ich mich schwer und traurig fühlte wie ein Elefant. Elefanten gehen zum Sterben in den Dschungel. Sie gehen zu einer Stelle, wo vor ihnen schon andere Elefanten gestorben sind, vor denen schon andere Elefanten gestorben sind, die unbedingt bei anderen toten Elefanten sterben wollten. Es ist ein riesiger Friedhof.

Unsere Küche war zwar kein Friedhof, aber irgendwo musste ich ja hin. Ich setzte mich an den Tisch und beschwerte mich über mein Unglück. Mama goss sich einen Kaffee ein und setzte sich mir gegenüber.

»Er hat dich versetzt, hm?«

Ich war mir nicht sicher, was das hieß. Mit meiner Versetzung war alles in Ordnung, nach den Sommerferien war ich im Förderzentrum eine Klasse weiter. Oskar hatte damit nichts zu tun gehabt, das konnte das Wort also nicht bedeuten. Anstatt etwas zu sagen, nickte ich nur schnell. Manchmal ist es mir Mama gegenüber peinlich, dass ich so schwer von Begriff bin.

»Nun, wie es aussieht, haben wir heute beide keinen guten Start«, fuhr sie fort. »Ich muss für zwei, vielleicht auch drei Tage weg.«

Dann kein Pieps mehr. Unter ihren Augen lagen dunkle Schatten. Vielleicht hatte sie schlecht geschlafen. Ich sah sie abwartend an. Sie sah mich abwartend an. Sie nippte an ihrem Kaffee. Schließlich seufzte sie.

»Verstehst du, Schatz? Ich fahre schon heute Nachmittag. Das bedeutet, dass Bingo heute Abend für uns ausfällt.«

Das bedeutete ... *was?!*

»Tut mir leid, Rico! Ich weiß, wie sehr du dich darauf gefreut hast.«

Na toll, auch das noch! Wahrscheinlich wollte sie mit Irina

alle Friseure der Stadt besuchen, um sich neue Stiche ins Haar machen zu lassen. Aber bitte – ich war es ja gewohnt, allein gelassen und versetzt zu werden! Eines Tages würde Mama nach Hause kommen, nach einem Wasserrohrbruch oder dergleichen, und ich läge ertrunken im Flur, neben einem Brief, in dem stand, dass ich sitzengeblieben war. Geschähe ihr recht!

»Wo musst du denn hin?«, sagte ich mürrisch.

»Du erinnerst dich an Onkel Christian?«

Nur verschwommen, und gar nicht gern. Onkel Christian ist Mamas älterer Bruder, er lebt irgendwo in Deutschland ganz unten links. Vor ein paar Jahren, als wir noch in Neukölln wohnten, hatte er uns mal in Berlin besucht. Damals hatten er und Mama sich dermaßen gestritten, dass ich mich in meinem Zimmer unterm Bett verstecken musste. Am selben Tag war er wieder abgereist. Ich wusste schon gar nicht mehr, wie er aussah oder wie seine Stimme klang.

»Der Doofe?«, sagte ich. »Was ist mit dem?«

»Es geht ihm nicht gut. Ich muss zu ihm.«

»Warum? Was hat er denn?«

»Krebs.«

Jeder weiß, was Krebs ist, sogar Forrest Gump. Wenn Mama ein schlimmes Wort so ausspricht, als wäre nichts weiter dabei, dann geht es ihr nicht gut. Sie sagte *Krebs* so fröhlich, wie Frau Dahling an der Fleischtheke fragte, *darf es auch ein Kilo mehr sein?*

»Muss er sterben?«, fragte ich zögernd.

»Ja. Vielleicht.«

Wer weiß, wie lange sie mit dem Zug unterwegs sein würde. Onkel Christian konnte längst tot sein, bis sie bei ihm ankam, dann wäre das Bingospielen völlig umsonst ausgefallen.

»Heute schon?«, sagte ich.

»Herrgott noch mal!«, schrie Mama mich urplötzlich an. »Kannst du deinen verdammten Egoismus vielleicht ein Mal abschalten?«

EGOISMUS: Wenn man nur an sich selber denkt. Es gibt auch das Gegenteil davon, dann denkt man nur an andere, und wer das tut, wird ein Heiliger. Heilige werden allerdings meistens nur ausgenutzt und zuletzt abgemurkst. Man muss wohl ein Mittelding finden und außerdem den passenden Schalter.

Mama goss sich Kaffee nach, ohne mich dabei anzusehen. Sie nahm einen Schluck aus der Tasse. Sie begann zu schluchzen. Es war, als würde sich eine Regenwolke zu uns in die Küche quetschen. Ich kann es überhaupt nicht ertragen, wenn Mama weint. Die Welt wird dann so dunkel, als hätte der liebe Gott das Licht ausgeknipst.

Eigentlich hätte mir viel früher auffallen müssen, dass mit

ihr etwas nicht stimmte, weil sogar der japanische Morgenmantel traurig an ihr runterhing. Garantiert bedeuteten die
Schriftzeichen *Das Leben ist nur ein Abreißkalender!* Aber anstatt an Mama zu denken, war ich nur mit meinem eigenen
Unglück beschäftigt gewesen. Als ich sie jetzt weinen sah,
bereute ich, dass ich das eben mit dem Wasserrohrbruch gedacht hatte. Eine versetzte Verabredung und ein geplatzter
Bingoabend sind nicht so schlimm wie ein sterbender Bruder, auch wenn man den nicht leiden kann. Mamas Unglück
war größer als meins.

Ich stand auf, ging um den Tisch herum zu ihr und nahm
sie in den Arm. Mama vergrub ihr Gesicht in meiner Schulter. Ihre Haare rochen nach einer Mischung aus Shampoo
und dem Club. Sie drückte mich so fest an sich, dass ich
kaum noch Luft kriegte. So ähnlich musste Mollie Eins sich
damals gefühlt haben, kurz vor dem Knacks.

Als ich es kaum noch aushielt, ließ sie mich endlich los. Sie
fuhr sich mit dem Handrücken über die Augen. »Ich mach's
wieder gut, Schatz, das verspreche ich dir«, schniefte sie.
»Nur im Moment —«

»Ist schon in Ordnung.«

»Du musst dich ein paar Tage um dich selber kümmern.
Das schaffst du, mein Großer, oder?«

»Klar.«

»Ich lass dir Geld hier, und wenn irgendwas ist, wendest du
dich an Frau Dahling, ja? Ich versuche noch, sie bei Karstadt
anzurufen, vielleicht kriege ich sie ans Telefon.«

»Lass mal. Ich geh heute Abend zu ihr und sag's ihr selber.«

»Okay. Du kannst mich außerdem jederzeit auf dem Handy erreichen.« Sie fasste mich bei den Schultern, schob mich ein winziges Stückchen von sich und sah mir ins Gesicht. »Ich liebe dich über alles! Das weißt du doch?«

Eigentlich wollte ich mich entschuldigen und ihr sagen, dass ich nicht hatte sagen wollen, was ich gesagt hatte, aber auf einmal war ich völlig durcheinander. Mir war etwas so Schreckliches eingefallen, dass nicht mal mehr die Bingokugeln in meinem Kopf funktionierten. Sie klackerten nur noch einmal kurz, und dann lagen sie alle ganz still, wie festgefroren. Der schreckliche Gedanke war der: Wenn Mamas Bruder Krebs hatte, kriegte sie vielleicht auch welchen, weil sie sich bei ihm –

»Rico?«

»Hm?« Mir liefen Tränen die Backen runter und Rotze aus der Nase und ich hatte kein Taschentuch.

»Krebs ist nicht ansteckend. Hörst du?«

Ich schnaubte nur irgendwas.

»Du musst dir keine Sorgen um mich machen.«

Ich schnaubte noch mal, fühlte mich aber gleich besser. Mama lügt mich nie an. Sie hob eine Hand und wischte mir mit dem Ärmel vom Morgenmantel über das Gesicht. Endlich war ein Lächeln um ihren Mund, wenn auch nur so dünn wie Butterbrotpapier.

»Christians Anruf kam sehr früh heute Morgen«, erklärte

sie. »Danach konnte ich erst nicht einschlafen und dann hab ich verpennt, und der Zug geht schon um halb drei. Schätzchen, ich wünschte, ich könnte was tun wegen deinem kleinen Motorradfahrer, aber ich muss noch packen, duschen, mich zurechtmachen, am Bahnhof ein Ticket kaufen …«

»Mach mal«, sagte ich.

Ich sah ihr nach, wie sie aus der Küche stolperte, an ihrem Schlafzimmer vorbei. Die Tür stand offen, ich konnte ihr Himmelbett mit der schicken Glitzerbettwäsche sehen und die Poster an den Wänden mit den Delfinen und den Walen drauf.

Langsam beruhigte ich mich. Mama kriegte keinen Krebs, zum Bingo gingen wir halt nächsten Dienstag, und Oskar würde schon noch irgendwann auftauchen. Mir fiel ein, dass er gesagt hatte, er habe heute eigentlich was Wichtiges vor. Vielleicht war das Wichtige doch wichtiger als ein Spaziergang am Landwehrkanal und er schneite später herein. Und selbst wenn er erst morgen oder übermorgen kam, gab es einen Lichtblick: Frau Dahling würde heute Abend sicher Müffelchen für mich machen und wir würden zusammen fernsehen, obwohl kein Wochenende war! Wenn ich sie zu einem Film mit Miss Marple überreden konnte, war das fast so gut wie Bingospielen. Zum Bingospielen selber würde ich sie nicht überreden können. Frau Dahling findet, dass das nur was für alte Knacker ist, die sich die Hosen bis unter die Achseln hochziehen.

Eben war das Leben noch dunkler gewesen als der dunkelste Tieferschatten. Jetzt war es auf einmal wieder voller großartiger Möglichkeiten. Ganz kurz hatte ich ein schlechtes Gewissen, dass Onkel Christian mir nicht leidtat, aber er hätte ja damals bei dem Streit mit Mama nicht so rumbrüllen müssen. Vor lauter Angst hatte ich mich unter dem Bett versteckt, und dort hatte ich Mollie Zwei gefunden. Sie lag ganz hinten unten in einem alten kleinen Turnschuh, der mir längst nicht mehr passte. Vielleicht hatte sie dort andere Hamster gesucht.

Der Turnschuh hatte furchtbar gestunken.

Um kurz nach zwei bestellte Mama sich ein Taxi. Ich begleitete sie nach unten. Der Fahrer verstaute ihre große Reisetasche im Kofferraum, Mama warf mir vom Rücksitz aus noch eine Kusshand zu, dann fuhr sie davon. Ich winkte ihr nach. Fast bildete ich mir ein, die schwarze traurige Regenwolke hinter dem Taxi herschweben zu sehen.

Ich ging wieder rauf und setzte mich noch eine Weile in den Nachdenksessel. Ich wusste nicht, was ich bis zum Abend machen sollte. Ich konnte Blumen gießen bei den RBs, aber falls Oskar doch noch kam, klingelte er womöglich ausgerechnet, wenn ich gerade oben im Fünften war.

Aber Oskar würde nicht mehr kommen.

Ich war selber schuld. Ich hätte mir seine Telefonnummer

geben lassen oder ihn wenigstens nach seinem Nachnamen fragen sollen, dann hätte ich im Telefonbuch gucken können. Eigentlich wusste ich gar nichts über ihn, nicht mal, wo er wohnte.

»Selber schuld«, wiederholte ich leise.

Jetzt musste ich den langen Tag irgendwie allein herumbringen, bis ich abends Frau Dahling besuchen konnte.

Ich las einen Comic.

Ich trank Saft.

Ich lief runter in den Ersten und klingelte bei Berts.

Mit Berts kann man sich prima unterhalten, aber er war nicht da. Pech gehabt. Falls Oskar inzwischen doch noch gekommen war und geklingelt hatte, sogar doppeltes Pech, aber dann konnte ich jetzt genauso gut noch im Parterre beim alten Mommsen reinschauen. Der erzählt manchmal spannende Geschichten, so wie die mit dem explodierten Fräulein Bonhöfer, und er hat immer Schokolade im Schrank. Aber meistens ist er nur besoffen und fuselt Blödsinn.

FUSEL: Alles, was einen betrunken macht, also Alkohol. Am besten billiger. Danach reden die meisten Leute ziemlich dummes Zeug, also heißt das ja wohl, dass sie fuseln. Muss ich nicht nachgucken. Auf manche Sachen kann man leicht selber kommen.

Der Mommsen ist außerdem Witwer mit Übergewicht und er hat auch keine schönen Zähne. Vermutlich putzt er sie nicht ordentlich. Jule hat mal gesagt, er sei ein altes Ferkel, so einen wolle keine Frau haben, also kennt Mommsen sicher auch das graue Gefühl. Wenn es ihn ausgerechnet heute überfallen hatte und, weil es sowieso gerade im Haus war, später auch noch rauf zu Frau Dahling kam, war mir das zu viel. Nach Mamas Regenwolke und meinem eigenen Elefantengefühl hatte ich für heute genug Traurigkeit gehabt.

Also wieder rauf.

Das Treppenhaus war wie ausgestorben. Es war fast ein wenig gruselig, wie still es im Haus war. Normalerweise dringt immer Krach aus irgendeiner Wohnung: Bei den Studenten ist die Musik aufgedreht, die Kessler-Zwillinge schreien sich gegenseitig an, aus der Wohnung vom Kiesling kommt klassisches Gedudel. Selbst von ganz oben hört man ab und zu Lärm, wenn der dicke Thorben von den RBs irgendwelche Freunde anschleppt, mit denen er bei voller Lautstärke Playstation spielt. Fitzke hat sich schon hundert Mal beschwert, aber es bringt nichts.

Heute war Fehlanzeige. Absolute Stille.

Ich ging zurück in die Wohnung.

Ich schaltete den Fernseher ein und fünf Minuten später wieder aus.

Ich steckte meine Schmutzwäsche in die Waschmaschine.

Ich machte mein Bett.

Ich setzte mich auf das Bett.

Langweilig.

Die ganze Warterei hatte keinen Zweck. Oskar würde nicht mehr kommen. Und wenn er doch noch kam, sollte er mir den Buckel runterrutschen. Der sollte sich mal bloß nicht einbilden, dass ich wegen ihm die Blumen von den RBs verdursten lassen würde!

Also rauf.

Bis ich oben war, war meine Wut auf Oskar schon wieder weg. Er konnte ja nichts dafür, dass ich mich langweilte. Er konnte auch nichts dafür, dass unsere Verabredung wie ein Ballon meinen Kopf ausfüllte und kaum was anderes reinpasste.

Die meisten Pflanzen von den RBs hatten noch ausreichend Wasser, alle übrigen goss ich nach.

Dann wieder runter.

Zwischen dem Dritten und Zweiten kam mir der Marrak entgegen, in seinem schicken roten Arbeitsanzug und mit seinem proppevollen Wäschesack. Als Frau Dahling zum ersten Mal gesehen hatte, wie er sich damit abmühte, hatte sie sich an den Kopf gefasst. »Typisch Mann!«, hatte sie gesagt. »Wartet, bis die letzte Unterhose und das letzte Hemd aufgebraucht ist, und die Freundin darf dann Nachtschicht schieben, um dem Herrn die Garderobe wieder in Stand zu setzen!« Da die Freundin sich noch nie in der Dieffe 93 hat blickenlassen, vermuten wir, dass der Marrak keine eigene Waschmaschine hat.

»Tach, Herr Marrak«, sagte ich und wollte mich an ihm vorbeischieben.

»Hi Rico.« Er setzte den Wäschesack umständlich ab und nickte mir zu. »Mal wieder unterwegs? Bei wem stöberst du denn heute in der Bude herum?«

Er meinte es nicht böse. Als ich nach unserem Einzug bei ihm gewesen war, um seine Wohnung anzugucken, hatte er mir sogar eine Cola angeboten. Natürlich hatte Mama ihm zu diesem Zeitpunkt schon längst erzählt, dass ich tiefbegabt bin und mir deshalb so gern andere Wohnungen angucke, weil ich auf der Straße immer geradeaus laufen muss und nicht so viel zu sehen kriege von der Welt. Mama hatte es jedem im Haus erzählt, und mit Ausnahme von Fitzke hatten alle Nachbarn Verständnis gehabt und mich reingelassen, wenn ich bei ihnen klingelte. Manche sogar öfters, wie Frau Dahling oder Berts, Jule und Massoud. Die Kesslers haben schon ein paarmal gefragt, ob ich sie nicht mal wieder besuchen möchte, aber ihre Zwillinge gehen mir auf die Nerven.

Der Marrak jedenfalls hatte mir zuletzt sogar noch seine Visitenkarte geschenkt, mit goldenem Tresor drauf und so weiter. Wenn wir uns jetzt sehen, sind wir nett zueinander, aber in seine Wohnung hat er mich seitdem nie wieder eingeladen. Ich träume immer davon, dass er mal mit einem von seinen vielen Schlüsseln das weiße Häuschen auf seinem Dachgarten für mich aufschließt, aber da ist wohl nichts zu machen. Erwachsene haben ständig Schiss, sie könnten etwas tun, das die Polizei nicht so toll findet.

ILLEGAL: Wenn man etwas nicht tun darf, weil es verboten ist. LEGAL heißt, es ist erlaubt, und EGAL bedeutet, dass man nur so tut, als wäre etwas Verbotenes erlaubt. Dafür, dass man so tut, als wäre was Erlaubtes verboten, gibt es kein ähnliches Wort. REGAL ist ja schon besetzt.

»Ich hab die Blumen von den Runge-Blawetzkys gegossen«, erklärte ich dem Marrak. »Die machen Urlaub.«

»Wer?«

»Was?«

»Die Blumen oder die Runge-Blawetzkys?«

Ich sah ihn entgeistert an. Wollte der mich veräppeln? Seit wann machen Zimmerpflanzen Urlaub?

Jetzt grinste er. »Sollte nur ein kleiner Scherz sein. Ein Rico-Scherz. Verstehst du?«

Der hatte doch wohl einen Sprung in der Schüssel! »Hab gar nicht mitgekriegt, dass meine geschätzten Nachbarn schon abgezischt sind«, schob er hinterher, als wäre nichts gewesen.

Am liebsten hätte ich ihn gefragt, wie er auch irgendwas mitkriegen wollte, wenn er ständig unterwegs war mit seinem klimpernden Schlüsselbund oder stinkende Unterwäsche durch die Gegend trug. So ein frecher Blödmann!

»Nun guck nicht so böse!« Er gab mir einen kleinen Knuff gegen den Arm. »Ich dachte, das wäre ein guter Witz. Kleiner Spaß zwischen Männern. Ich wollte dich nicht beleidigen. Entschuldigung, okay?«

»Okay«, sagte ich langsam.

Ich lasse mich nicht gern auf die Schippe nehmen. Aber in diesem Fall machte ich eine Ausnahme und beschloss, nur noch ein bisschen sauer zu sein, weil der Marrak sonst immer freundlich zu mir ist. Das war's dann aber auch schon. Er ist groß und stark und hat ein bulliges Gesicht, aber ansonsten sieht er ziemlich unauffällig aus. Als Mann für Mama käme er sowieso nicht in Frage, schließlich hat er ja schon eine Freundin, und was hätte Mama von einem Mann, dem sie ständig die Klamotten waschen muss, während er mit einer anderen Frau ausgeht? Dazu noch Putzen, Aufräumen und dergleichen. Der Marrak ist schrecklich unordentlich. Bei meinem Besuch hatte seine Wohnung ausgesehen wie Kraut und Rüben. Wenn er nicht aufpasst, verlottert er völlig und endet später zusammen mit Fitzke vor der Käsetheke von Edeka.

»So, dann wollen wir mal wieder, was?« Er bückte sich, um den Wäschesack aufzuheben. »Grüß deine Mutter von mir.«

»Geht nicht, die ist für ein paar Tage weg.«

Er hielt mitten in der Bewegung inne, richtete sich wieder auf und runzelte die Stirn. »Und wer gibt in der Zeit auf dich Acht?«

»Ich selber und Frau Dahling.«

»So. Na ja.« Seine Unterlippe rutschte nach vorn, als gefiel ihm nicht, was er gehört hatte. »Offen gesagt verstehe ich manche Eltern nicht. Setzen Kinder in die Welt, um sie dann den ganzen Tag sich selber zu überlassen, vor der Glotze oder vorm Computer.«

»Ich sitze nicht den ganzen Tag vor —«

»Oder sie lassen die Kleinen unbeaufsichtigt durch die Gegend stromern. Wenn du mich fragst, dann sollte dieser Mister 2000 ihnen allen eine Lehre sein!«

»Meine Mutter lässt mich nicht —«

»Wären die entführten Kinder nicht allein in einer Großstadt herumgeturnt, hätte auch keiner sie mitnehmen können! Nur meine Meinung, nichts für ungut.«

Jetzt war ich doch wieder sauer, aber anstatt etwas zu erwidern, nickte ich bloß. Ich hätte Mama verteidigen sollen, aber dieser Blödmann hörte mir sowieso nicht zu. Sein blasses Gesicht war ganz rosig angelaufen, es sah aus wie einer von Mamas bunten Badeschwämmen. Wenn ich irgendwas sagte, würde der Marrak bestimmt nur noch weiterschimpfen, und zuletzt, wenn er sich endlich abgeregt hatte, kam ihm womöglich noch die Idee, dass ich ihm beim Tragen helfen könnte.

»Ich muss los«, sagte ich.

»Ich auch«, sagte er und wuchtete endlich den Wäschesack über die Schulter. »Schönen Tag noch!«

»Ihnen auch.«

Von wegen! Die letzten Stufen in den Zweiten sprang ich

runter. Als ich mich in die Wohnung einließ, hörte ich den Marrak weiter die Treppe raufkeuchen. »Verdammter fünfter Stock«, fluchte er leise. »Das nächste Haus wird eins mit Lift!«

Selber schuld, dachte ich. Könnte sich ja eine eigene Waschmaschine kaufen, der Geizhals!

Kaum war ich in der Wohnung, ging die Langeweile an derselben Stelle weiter, wo sie aufgehört hatte.

Ich setzte mich in den Nachdenksessel.

Ich blätterte im Lexikon herum und lernte drei neue Wörter.

Ich guckte zum Fenster raus und döste.

Ich vergaß die drei neuen Wörter.

Ich ging in die Küche und trank noch einen Saft.

Ich aß noch ein Müsli.

Ich spülte das Glas und die Müslischale und den Löffel ab.

Mein Blick fiel auf den Mülleimer. Der Beutel darin war voll bis zum Rand – wenigstens etwas! Wenn ich zuerst den Müll im Hof ausleerte und anschließend in mein Tagebuch schrieb, ging der Nachmittag viel schneller vorbei.

Also wieder runter.

Die Müllcontainer stehen im Hinterhof, entlang der Mauer zum Nachbarhaus. An einem der zwei Flügel von der großen Tür zum Hinterhof muss man ordentlich ziehen, weil der seit ein paar Wochen klemmt. Vermutlich Rost oder dergleichen. Der andere Flügel geht sowieso gar nicht erst auf. Der Mommsen sollte das schon längst repariert haben, weil es immer schlimmer wird, aber wahrscheinlich fuselt er stattdessen lieber rum. Sogar die Müllabfuhr hat sich schon beschwert.

Ich zerrte den widerstrebenden Türflügel so weit auf, dass ich gerade so durchpasste mit meinem Müllbeutel, und stolperte dem Mommsen genau in die Arme. Er war mit einem großen Besen und einem kleinen Kehrblech bewaffnet. Ob befuselt oder nicht, dienstags kehrte er den Hof, fiel mir ein.

»Tach, Herr Mommsen«, sagte ich.

Er schwankte ein bisschen und glotzte mich an. »Wer bist du?«

»Rico Doretti. Zweiter Stock.«

»Weiß ich«, sagte er. »Hältst du mich für doof, oder was?«

Mein lieber Schwan!

Anstatt ihm zu antworten, hielt ich ihm die Tür auf, so weit und so gut ich konnte. Er schob sich an mir vorbei und guckte mir dabei genau ins Gesicht. Seine Augen waren so trübe, als hätte jemand Milch reingekippt.

»Sie könnten endlich mal die Tür reparieren«, sagte ich.

»Geh spielen!«, schnappte er.

»Mach ich. Schönen Tag noch!«

»Schön ist anders.«

Hinter ihm knarrte in Zeitlupe die Tür zu. Ich schüttelte kurz den Kopf, dann trat ich an den Container. Ich klappte den schweren schwarzen Deckel hoch und warf den Müllbeutel rein, und da sah ich es: Mitten im dreckigen, miefigen Gewühl lag ein kleines, knallrotes Flugzeug.

Ich guckte hoch, in den Himmel, wie ich es schon bei der

Fundnudel getan hatte. Dunkle Wolken zogen auf und schoben sich vor die Sonne. Ganz oben, auf dem Dachgarten der RBs, ließ ein letzter Sonnenstrahl die metallene Brüstung aufblitzen. Ich guckte wieder runter. Es gab nur eine Möglichkeit, wie der kleine Flieger hier gelandet sein konnte: Er musste sich unbemerkt von Oskars Hemd gelöst haben, als der gestern da oben gestanden und rumgewippt hatte, um mir zu beweisen, dass er keine Angst hatte. Der Flieger war in den Hof getrudelt, und jemand hatte ihn aufgehoben und weggeworfen, vermutlich gerade eben der befuselte Mommsen.

Ich stellte mich auf die Zehenspitzen und versuchte den Fundflieger aus dem Container zu fischen, ohne mich dabei schmutzig zu machen. Es dauerte eine Weile, aber schließlich erwischte ich ihn und guckte ihn mir an. Kein Dreck dran. Ich tippte gegen die abgebrochene Flügelspitze, dann steckte ich ihn in die Hosentasche und grinste dabei. Oskar würde sich wahnsinnig freuen, wenn ich ihm seinen Anstecker zurückgab! Bestimmt vermisste er ihn schon.

Dann wieder rauf in den Zweiten, wo schon das Tagebuch auf mich wartete. Jetzt freue ich mich auf einen schönen Abend mit Frau Dahling und Müffelchen! Wozu ich natürlich *wieder* raufmuss und später *wieder* runter.

Mann, Mann, Mann!

DIE SONDERSENDUNG

Vor etwa zehn Minuten zeigten beide Arme von Mickymaus auf zwölf. Es ist also schon nach Mitternacht. Im Hinterhaus hat sich eben ein riesenhafter Tieferschatten bewegt, ich bin mir ganz sicher. Deshalb bin ich jetzt aus meinem Zimmer ins Wohnzimmer umgezogen, in den Nachdenksessel.

Alle Lampen sind an, aber selbst wenn sie aus wären, könnte man durch die Fenster den Mond nicht sehen. Draußen herrscht finstere Nacht. Stürmischer Wind bewegt die Zweige der Bäume, lässt ihre Blätter rascheln und treibt Nieselregen gegen die Scheiben.

Meine Bettdecke habe ich mitgenommen und mir über die Beine gelegt. Ich sitze vor dem Computer und tippe mein Tagebuch. Ich muss sofort aufschreiben, was heute Abend geschehen ist, sonst kann ich garantiert nicht einschlafen. Und ich muss einen Plan entwickeln.

Wenn ich doch nur schneller denken könnte.

Frau Dahling weiß von nichts.

Wenn ich Mama anrufe, mache ich ihr bloß Sorgen.

Ich bin ganz auf mich allein gestellt.

Ich habe große Ängste.

Um kurz vor halb acht ging ich nach oben. Ich wollte die Abendschau nicht verpassen. Na gut, eigentlich wollte ich die Müffelchen nicht verpassen, aber das mit der Abendschau klingt nicht so verfressen.

Ich drückte auf Frau Dahlings Klingel. Keine Antwort. Ich legte ein Ohr an die Tür und lauschte. Nichts. Dann fiel's mir ein: Weil Frau Dahling und ich uns fast ausschließlich an Samstagen sehen, wenn sie freihat, hatte ich völlig vergessen, dass sie unter der Woche bis acht arbeitet. Sie konnte noch gar nicht zu Hause sein. Wahrscheinlich stand sie genau in diesem Moment noch hinter der Fleischtheke und schlachtete die letzten Schnitzel. Manchmal bin ich so ein Depp!

Im Stockwerk über mir kruspelte jemand auf der Treppe rum. Ein fröhliches kleines Pfeifen erklang. Von Fitzke konnte es nicht kommen, der ist garantiert der unfröhlichste Mensch auf unserem Planeten. Eine Tür fiel zu. Dann Stille.

Ich also rauf in den Vierten. Auf dem Treppenabsatz stand ein voller blauer Müllsack. Tapetenstreifen guckten raus und mit Farbresten bekleckerte Plastikfolie, rot und gelb und orange. Wenn das mal kein glücklicher Zufall war! Der Bühl war zu Hause, und ich hatte eine halbe Stunde Zeit. Wenn ich es geschickt anstellte, würde er mich bestimmt in seine Wohnung lassen.

Als ich klingelte, öffnete er sofort, mit seinen schönen weißen Zähnen und den schwarzen Haaren und der Narbe am Kinn. Er sah mich erstaunt an. Fast besorgt.

»Rico! Ist was passiert?«

Warum fragen so viele Leute, wenn ein Kind bei ihnen klingelt, immer gleich, ob was passiert ist?

Ich schüttelte den Kopf und streckte eine Hand aus. »Guten Abend! Mein Name ist Frederico Doretti. Ich bin –«

»Ehm … Ich weiß, wie du heißt.«

Als hätte ich nicht geahnt, dass er mir dazwischenquatschen würde! Manche Leute können nicht mal für zehn Sekunden den Mund halten, und das hier war fast so schwierig wie das mit dem Sicherheitsmanagement mit Schwerpunkt Kontroll- und Schließdienst. Irgendwo in meinem Kopf legte sich wie von selbst ein kleiner Schalter um und startete die Bingomaschine. Mir wurde unangenehm warm. Ich ließ die Hand sinken. Schütteln musste ausfallen. Man kann sich schließlich nicht auf alles gleichzeitig konzentrieren, und bisher hatte immer Mama den Spruch für mich aufgesagt.

»Mein Name ist Frederico Doretti!«, wiederholte ich laut. »Ich bin ein tiefbegabtes Kind! Deshalb kann ich zum Beispiel nur geradeaus laufen und sehe nur wenig von der Welt!« Ich wurde immer schneller. »Zum Ausgleich guck ich mir gern Wohnungen von anderen Leuten andarfichreinkommen?«

Herzlichen Glückwunsch, Rico! Am liebsten wäre ich herumgewirbelt und weggelaufen. Wenn man zehn Sekunden vorher wüsste, für wie blöd man sich selber zehn Sekunden später hält, würde man bestimmt einiges nicht tun oder sagen, was man tut oder sagt. Aber nun war es eben passiert.

»Tiefbegabt?« Die Augenbrauen vom Bühl waren in der Mitte zusammengerutscht.

»Das bedeutet, ich kann zwar viel denken, aber nicht besonders schnell«, quetschte ich eine weitere Erklärung raus.

»Ohhh-kay«, sagte er sehr langsam.

»Das heißt allerdings nicht, dass ich dumm bin. Zum Beispiel ist der Mond 384 401 Kilometer von der Erde entfernt. Im Durchschnitt.«

»Verstehe.« Wieder sehr langsam.

»Vorgestern wusste ich das noch nicht, und womöglich vergesse ich es bald wieder. Manchmal fällt mir nämlich was aus dem Kopf, nur weiß ich vorher nicht, an welcher Stelle.«

»Tja, wenn das so ist …« Jetzt lächelte der Bühl, und es war ein nettes Lächeln. Er zog die Tür nach innen auf. »Dann komm mal rein.«

Wurde aber auch Zeit!

Ich drückte mich an ihm vorbei und er schloss die Tür. Sofort stieg mir der Geruch von Wandfarbe in die Nase. Überall im Korridor standen Kartons herum, die meisten gestapelt, zum Teil verschlossen, andere aufgerissen.

»Ich hoffe, ein bisschen Unordnung macht dir nichts aus«, sagte der Bühl. »Der Umzug, du verstehst schon.«

Ich schüttelte großzügig den Kopf. Solange er sich Ordnung angewöhnte, falls er Mama heiraten sollte, war das völlig okay.

Die Tür gleich neben mir stand offen, da ging ich rein. Es war das Wohnzimmer, und es sah aus, als wohnte der Winter persönlich darin. Kein Teppich, sondern Parkettfußboden, weiß gestrichen. Die Wände ebenfalls weiß, genauso die Regale. Sie waren erst zur Hälfte eingeräumt, Bücher standen und lagen darin und CDs. Nirgends sah ich ein Bild oder ein

Poster, nirgends schönen Schnickschnack, wie bei Frau Dahling oder bei uns in der Wohnung. Ein weißes Ledersofa, davor ein Tisch. Ein leeres Glas stand auf einer aufgeschlagenen BILD-Zeitung. Es war nass am Boden und hatte einen welligen Rand genau auf den nackten Busen von Cindy gezaubert. Cindy kommt aus Hohenschönhausen, stand da in dicken Buchstaben, ist zweiundzwanzig und von Beruf Fußpflegerin. Mehr konnte ich auf die Entfernung nicht lesen. Echt, dass der Bühl sich so was Schweinisches anguckte! Ansonsten lag aller mögliche Krempel über den Tisch verstreut: Stifte, ein Notizbuch, Kassenzettel und dergleichen. In einer Ecke des Raums stand ein kleiner Fernseher auf dem Fußboden, in der anderen eine Musikanlage.

»Sonst alles im Lot?«, sagte der Bühl hinter mir.

Es klang wie eine Frage, die man stellt, wenn man nicht weiß, was man sonst sagen soll. Es klang außerdem wie eine Frage, auf die man nur ja antworten kann, also murmelte ich ja.

> LOT: Ein Metallding an einem Faden, mit dem
> man rauskriegen kann, ob irgendwas gerade ist.
> Zum Beispiel eine Mauer. Es muss aber hängen.
> Wenn es liegt, funktioniert es nicht. Die Mauer
> ist also höchstens von oben nach unten oder
> umgekehrt gerade, aber nicht von vorn bis hin-
> ten beziehungsweise rückwärts.

Ich faltete die Hände hinter dem Rücken und guckte zur Decke rauf. Wenigstens die war hübsch, sogar sehr hübsch – alter Stuck, und ausnahmsweise farbig angemalt.

»Wie geht's denn deiner Mutter?«

Es sah fast wie ein Urwald aus. Es gab jede Menge ineinander verschlungener Blümchen und Blätter in Orange und Gelb und Rot. Ein paar von ihnen wirkten so echt, als würden sie aus der Decke nach unten wachsen. Das würde Mama gefallen.

»Rico?«

»Hm?«

»Wie es deiner Mutter geht.«

»Sie findet, dass Sie eine scharfe Schnitte sind. Allerdings …«

Etwas Grün zwischen den anderen Farben wäre nett gewesen. Oder überhaupt etwas völlig anderes als das viele Blümchen- und Blätterzeugs. Ob es wohl Stuck mit Fischen gab? Dann sähe so eine Zimmerdecke aus wie ein Aquarium. Aus einer Ecke könnte eine Schildkröte kommen, und aus einer anderen ein leckerer kleiner Speisefisch. Und in der Mitte schwamm ein Blauwal, der so groß –

Der Bühl räusperte sich laut. Ich drehte mich zu ihm um. Er stand im Türrahmen, die Daumen in die Hosentaschen gesteckt. Er lächelte wieder, aber er sah dabei so ungeduldig aus wie jemand, der es einfach nicht abwarten kann, bis man sein Aquarium zusammengestellt hat.

»Ja?«, sagte er. »Allerdings?«

»Na ja, ich schätze, sie kann sich nicht in Sie verlieben, weil sie dann an Papa denken muss.«

»Oh – verstehe.« Jetzt lächelte er nicht mehr. Er guckte, als hätte er gerade eine schlechte Note in einer Klassenarbeit gekriegt. »Ich, ehm, ich hatte angenommen, ihr lebt allein?«

»Tun wir ja auch. Papa ist schon lange tot.«

Und jetzt guckte er, als hätte der Lehrer gesagt, dass er ihm die falsche Arbeit zurückgegeben und er doch eine Eins hätte. Sein Gesicht war sehr braun, als hätte er die letzten Tage draußen in der Sonne verbracht. Nur die kleine Narbe am Kinn leuchtete hell.

»Das tut mir leid für dich.« Seine Stimme war plötzlich so warm, dass ich das Gefühl hatte, das ganze Winterzimmer um mich herum würde auftauen. »Es tut mir leid für *euch!*«

»Er starb an einem stürmischen Tag«, sagte meine Stimme ganz von selbst. »Im Herbst war das. Papa wollte –«

Ein Handy klimperte. Der Ton war hübsch. Es klang, als würde eine Maus über die Tasten eines Klaviers rennen.

»Entschuldigung!« Der Bühl hob einen Finger. »Nicht weglaufen, ja? Auf den Anruf habe ich gewartet. Kann aber nicht lange dauern.« Er drehte sich um und spurtete nach draußen. Das Geklimper brach ab.

Frederico, dachte ich, du spinnst doch wohl! Ich war drauf und dran gewesen, dem Bühl meine geheimsten Sachen zu erzählen, dabei war ich nicht mal mit ihm befreundet. Wie hatte er das bloß geschafft? Das ging jedenfalls gar nicht. Wenn er wiederkam, würde ich sagen, ich müsste leider gehen.

Er war in das Zimmer schräg gegenüber verschwunden. Ich reckte den Hals – die Küche. Er sprach mit gedämpfter Stimme in sein Handy. Ich verstand kein Wort, und bevor ich in den Flur schleichen konnte, um besser zu lauschen, war das Telefonat auch schon beendet. Ich zog den Kopf wieder ein und guckte unauffällig.

»Ich muss leider gehen«, sagte der Bühl, als er wiederkam. Er sah immer noch nett aus, wirkte aber ganz geschäftig. Von irgendwo aus dem Flur hatte er eine dünne braune Leder-jacke mitgebracht. »Aber ich schlag dir was vor«, sagte er, während er sie sich überstreifte. »Du kommst morgen am späten Nachmittag wieder, dann habe ich mehr Zeit für dich. Und für deine Geschichte. Einverstanden?«

»Ich weiß nicht, ob …«

»Wenn du sie mir lieber nicht erzählen willst, werde ich dich sicher nicht drängen. Aber die Einladung steht, okay?« Er zeigte auf die Tür und versuchte ein Lächeln, das aber seine Anspannung nicht verbergen konnte. »Und jetzt raus hier, du tiefbegabter Schnüffler!«

Frau Dahling strahlte mich an wie der Weihnachtsstern, als ich so unvermutet vor ihrer Tür stand, und da wusste ich plötzlich, dass das graue Gefühl viel öfter zu ihr kommt, als ihr lieb ist. Zum ersten Mal fragte ich mich, warum sie keine eigenen Kinder hatte.

»Mama ist weggefahren«, erklärte ich, als ich in den Flur trat. »Sie kommt frühestens übermorgen zurück.«

»Wo ist sie denn hin?«

»Zu ihrem Bruder unten links. Er hat Krebs.«

»Du liebe Zeit!« Frau Dahling drückte die Tür ins Schloss und drehte sich mit erschrecktem Gesicht zu mir um. »Ist es ernst?«

»Christian. Mehr Brüder hat Mama nicht.«

»Das weiß ich. Ob es schlimm um ihn steht, meine ich.«

»Ach so … Keine Ahnung.«

Frau Dahling schüttelte traurig den Kopf. »Tja, es trifft wohl immer die Falschen.«

»Wer wäre denn der Richtige?«

»Der Mommsen«, sagte sie, ohne mit der Wimper zu zucken.

»Was ist mit dem?«

»Hab mich eben erst wieder mit ihm gestritten, als ich zum Haus reinkam. Seit Wochen klemmt die Tür zum Hinterhof, das hast du sicher schon gemerkt?« Sie wartete mein Nicken gar nicht ab, so sehr war sie in Wallung. »Man kriegt sie kaum noch aufgedrückt, wenn man den Müll rausbringt, es wird von Tag zu Tag schlimmer! Aber meinst du, diese wandelnde Schnapsflasche von einem Hausverwalter kümmert sich darum?«

Ich zuckte die Achseln und folgte ihr an den Bildern mit

den weinenden Clowns vorbei in die Küche. »Jedenfalls ist Krebs nicht ansteckend«, sagte ich, um sie vom Mommsen abzulenken. Wenn sie weiter herumschimpfte, vergaß sie womöglich die Müffelchen.

»Hast du das etwa geglaubt?«, fragte sie mich über die Schulter.

»Quatsch! Ich dachte bloß, Sie wissen das vielleicht noch nicht.«

Im Gegensatz zu dem bescheuerten Marrak fand Frau Dahling es offenbar gar nicht schlimm, dass Mama mich allein gelassen hatte. Jedenfalls erwähnte sie es mit keinem Wort. Stattdessen wurde sie endlich kümmerig.

»Ich wollte mir gerade was zurechtmachen. Hast du schon was gegessen?«

»Müsli, heute Nachmittag.«

»Gut, dann mach ich uns Müffelchen.«

Na bitte!

Sie öffnete den Kühlschrank, um Wurst und Käse, Gürkchen und Tomaten rauszuholen. »Übrigens, wie es der Zufall will, habe ich einen neuen Film gekauft.«

Ich lehnte mich gegen den Esstisch. »Ist es ein Krimi?«

»Liebesfilm. *Pretty Woman*. Schon mal davon gehört?«

»Nein. Worum geht's?«

»Um ein Callgirl, das sich in einen reichen Mann verliebt.«

»Was ist ein Callgirl?«

»Tja.« Frau Dahling wandte sich wieder dem Kühlschrank

zu und begann ziemlich hektisch darin herumzuwühlen. »Wo ist denn bloß die Butter?«

»Neben dem Senfglas. Was ist ein Callgirl? Wissen Sie's nicht?«

»Doch, ich …« Ihre Schultern klappten nach vorn, als versuchte sie, sich selber zusammenzufalten. Sie drehte sich zu mir um, die Butter in einer Hand, und musterte mich prüfend. »Ach, was soll's, ich schätze, du bist groß genug für so was.«

»Groß genug für wie was?«

»Um über bestimmte Dinge Bescheid zu wissen.« Sie legte die Butter auf den Tisch zu den anderen Sachen. »Also, ein Callgirl, das ist eine Frau, die für Geld dafür sorgt, dass Männer einen schönen Abend verbringen.«

»So wie Mama?«

»Nein. Nein-nein-nein!« Sie schüttelte heftig den Kopf. »Deine Mama *arbeitet* nur in einem Club, in dem Callgirls Männer kennenlernen! Sie passt auf, dass diese Männer höflich bleiben und dass sie, ehm … dass sie genug trinken, wenn ihnen zu warm wird.«

»Sie *leitet* den Club!«, sagte ich stolz. »Als Geschäftsführerin. Sie bestimmt, welche Getränke eingekauft werden und dergleichen.«

»Und dergleichen, ja«, sagte Frau Dahling mit einem Seufzer. Sie nahm Brot aus dem Schrank. »So, nun lass mich mal das Essen machen. Setz dich ins Wohnzimmer und wirf schon mal die Flimmerkiste an. Dann kannst du mir beim Essen erzählen, was in der Welt los ist.«

Sie meinte Politik. Ich hätte ihr lieber weiter zugeguckt.

»Das kann ich mir nicht behalten.«

»Doch, das kannst du. Du hast ein fabelhaftes Gedächtnis, lass dir von keinem was anderes erzählen.«

»Aber Politik verstehe ich nicht.«

»Wenn alle, die sie nicht verstehen, in dein Förderzentrum geschickt würden, müsste dort bald angebaut werden.«

»Es ist nicht *mein* blödes Förderzentrum!«, grummelte ich leise.

Sie wedelte mir mit dem Brotmesser vor der Nase herum »Nun geh schon, husch, husch! Ich mag's nicht, wenn man mir in der Küche um die Beine streicht.«

Mürrisch ging ich ins Wohnzimmer. Ich ließ mich aufs Sofa plumpsen, schnappte mir die Fernbedienung und schaltete die Riesenglotze ein. Das Programm ist immer auf RBB eingestellt, damit Frau Dahling ihren geliebten Ulf Brauscher nicht verpasst. Noch bevor das Bild da war, hörte man schon die Stimme einer Frau.

»— *der seit drei Monaten ganz Berlin in Atem hält, hat, wie soeben bekannt wurde, ein sechstes Opfer entführt. Unsere Sondersendung informiert Sie über die aktuellen Entwicklungen — in einem Fall, der sich auf überraschende Weise von seinen Vorgängern zu unterscheiden scheint!*«

Jetzt sah man die Frau, eine Kollegin von Ulf Brauscher. Ab und zu wechseln sich die zwei bei den Berlin-Nachrichten ab. Die Frau versuchte ganz besorgt zu gucken, schließlich ging es ja um ein Kind. Aber das nahm ich ihr nicht ab.

Die gucken immer besorgt im Fernsehen, wenn es um Kinder geht, und im Supermarkt ballern sie dir dann ihren Einkaufskorb ins Kreuz oder schubsen dich fast in die Gefriertruhe, weil du ihnen im Weg stehst.

Trotzdem, das hier war spannend. Die Sprecherin erklärte, es sei ungewöhnlich, dass der Kidnapper erst letzten Samstag ein Kind freigelassen und sich nun schon wieder ein neues geschnappt habe. Es stimmte, das war echt fix, fand ich. Vielleicht hatte Mister 2000 Angst bekommen, dass er in den Sommerferien keine Kinder mehr abkriegen würde, weil gerade alle in den Urlaub fahren.

Eine Karte von Berlin wurde eingeblendet, auf der nacheinander ein paar Bezirke deutlich hervortraten: Wedding, Charlottenburg, Kreuzberg und Tempelhof, Lichtenberg.

»Die Entführungen folgen keinem erkennbaren Muster. Die Polizei geht davon aus, dass Mister 2000 ziellos mit dem Auto herumfährt und die Kinder in sein Fahrzeug lockt, sobald sich eine passende Gelegenheit bietet.«

Nun trat auch noch Schöneberg hervor, daher kam also offenbar das neue Opfer. Die übrigen Bezirke blieben blass. Sechs rote Punkte leuchteten auf der Karte auf, an jeder Entführungsstelle einer.

»Und«, rief Frau Dahling aus der Küche, »was gibt's Neues?«

»Der ALDI-Kidnapper hat wieder ein Kind entführt!«

»Grundgütiger … Stell mal lauter! Milch oder Sprudel?«

»Milch bitte!«

Ich regelte mit der Fernbedienung die Lautstärke hoch.

»Zum ersten Mal in der Geschichte der Entführungen hat der Vater eines Opfers sich an die Polizei gewandt, ohne zuvor das geforderte Lösegeld zu bezahlen.«

Die sechs Bezirke und die roten Punkte wurden von wackeligen Kameraaufnahmen ersetzt. In der oberen rechten Ecke des Bildschirms stand jetzt *Live-Übertragung*. Man sah einen ziemlich jungen Mann, der wirklich nicht den gepflegtesten Eindruck machte. Ihm wurden so viele Mikrofone vor die Nase gehalten, dass man sein Gesicht in dem Gedränge kaum sah. Immer wieder kniff er die Augen zusammen, weil Blitzlichter ihn blendeten. Von allen Seiten riefen Reporter ihm Fragen zu.

»Warum haben Sie die Polizei informiert? Der Kidnapper droht regelmäßig damit, die entführten Kinder —«

»Ich habe das Geld nicht«, sagte der junge Mann. »So einfach ist das.« Und verächtlich fügte er hinzu: »Ich musste mich an die Polizei wenden, sonst würde keine Bank der Welt mir einen Kredit geben. Nicht mal für ein entführtes Kind.«

»Was ist Kredit?«, rief ich in Richtung Küche.

»Geld, das man sich für eine Weile bei jemandem leiht!«, rief Frau Dahling zurück. »Später muss man dafür mehr zurückzahlen, als man vorher gekriegt hat.«

Ich wollte sie gerade fragen, ob sie sich vielleicht etwas von mir leihen wollte, aber genau in diesem Moment blendeten sie im Fernsehen ein Foto des neuesten Opfers ein. Mir blieb das Herz stehen.

Das Kind war ein Junge.

Der Junge war Oskar.

Obwohl er seinen Helm nicht trug, erkannte ich ihn sofort. Keiner hat so grüne Augen wie Oskar und keiner hat so große Zähne. Kann sein, dass auch keiner solche Segelohren hat. Sie standen fast waagrecht von Oskars Kopf ab und sahen aus, als könnte man auf jedem mühelos ein kleines Glas mit einem kühlen Getränk drin abstellen.

»Wie der Vater des Jungen soeben erklärte, brach sein siebenjähriger Sohn gegen neun Uhr dreißig von zu Hause auf, um einen Freund zu besuchen. Aber der kleine Oskar kam nie dort an.«

Ich verstand kaum, was die Sprecherin sagte. In meinen Ohren war ein komisches Rauschen. Jetzt sah man wieder Oskars Vater zwischen den vielen Reportern.

»Ich hab mich noch gewundert, warum er ohne Helm losgezogen ist. Er geht normalerweise nie ohne Helm aus dem Haus! Wir leben in einer großen Stadt, unsere Straßen sind gefährlich. Das hab ich ihm immer wieder gesagt.«

»Warum haben Sie Ihren Sohn nicht begleitet? War das eine bewusste Verletzung Ihrer elterlichen Aufsichtspflicht?«

»Kein Kommentar.«

»Wussten Sie, *wen* Oskar besuchen wollte? Ist es sicher, dass dieser Freund, zu dem er angeblich aufbrach, überhaupt existiert?«

»Kein Kommentar.«

»Um zehn Uhr dreißig heute Vormittag erhielt Oskars Vater, der den Jungen allein aufzieht, einen Anruf des Entführers. Auch das ist

ungewöhnlich und neu: Bisher hat der Kidnapper sich ausnahmslos per Brief an die Eltern seiner Opfer gewandt. Die Forderung des Entführers ist jedoch dieselbe wie immer: 2000 Euro. Ein Ort für die Übergabe des Lösegeldes wurde noch nicht vereinbart.«

Das Rauschen in meinen Ohren ließ nach. 2000 Euro, dachte ich, 2000 Euro. Offenbar hatte Oskars Vater keine reichen Freunde oder Verwandten, die ihm so viel Geld leihen konnten. Eine Frau hatte er auch nicht. Und Oskar besaß bestimmt keinen Reichstag. Für jemanden, der so viel Angst hatte, war das eigentlich ziemlich unvorsichtig. Sogar ich sparte inzwischen für meine Entführung.

Ich zuckte zusammen, als Frau Dahling wie ein Schatten von der Seite her auftauchte und den Teller mit den Müffelchen auf dem Tisch abstellte. Ich hatte sie gar nicht ins Wohnzimmer kommen hören. Sie klopfte das plüschige Kissen mit dem Gefrimsel dran zurecht, das sie sich immer hinter den Rücken steckt, und setzte sich neben mich auf das Sofa.

»Vielleicht kriegen sie den Drecksack ja jetzt!«, schnaubte sie. »Könnte doch sein, jemand hat den Jungen heute früh gesehen und erinnert sich daran.«

Sie lehnte sich in das Kuschelkissen zurück, schob sich ein Müffelchen in den Mund und kaute darauf herum. Leberwurst mit Gurke. Ich musterte sie heimlich von der Seite. Vermutlich würde sie mir glauben, wenn ich sagte, dass ich Oskar nicht nur kannte, sondern dass er heute Morgen zu *mir* unterwegs gewesen war. Und *weil* sie mir glaubte, würde sie mich zur Polizei schleppen, damit die mich verhörten: Woher und seit wann ich Oskar kannte und wann wir uns zuletzt gesehen und wann wir uns für wann miteinander verabredet hatten. Worüber wir geredet hatten. Ob Oskar irgendetwas erwähnt hatte, woraus man schließen könnte, dass er seinen Entführer kannte. Die Polizei würde mich auseinandernehmen wie Miss Marple ihre Verdächtigen. Die Bingomaschine würde durchdrehen.

Ich würde an einem roten Kopf sterben.

In der Glotze blendeten sie jetzt das Bild des ersten entführten Kindes ein. Ich wusste, wie es weiterging, das hatten sie schon tausend Mal gemacht: Ein Kind nach dem anderen würden sie zeigen. Dazu erklang mitleidige Musik, als wären die Opfer alle zerschnibbelt zu Hause angekommen statt am Stück.

»Denen fällt auch nichts Besseres ein, als immer wieder auf die Tränendrüsen zu drücken«, sagte Frau Dahling. »Ich leg uns mal besser den Film rein. Wo hab ich ihn denn, ach ja, Handtasche oder was?«

Sie stemmte sich aus dem Sofa und verschwand in den Flur. Ich starrte weiter wie betäubt auf den Bildschirm. Mein Freund Oskar war das neueste Entführungsopfer, und er hatte nicht mal eine Mama, die sich deshalb Sorgen um ihn machte! Womöglich war sie tot oder dergleichen. Ich konnte es nicht fassen. Ich hätte Angst um Oskar haben müssen oder Mitleid in diesem Moment, aber das kam erst später. Jetzt, während die Bilder der entführten Kinder an mir vorbeizogen, kam ich mir nur vor wie eine völlig leergekratzte Kuchenteigschüssel.

Als das zweite Opfer eingeblendet wurde, guckte ich genauer hin: Es gab ein neues Foto von Sophia. Anscheinend hatten ihre Eltern endlich gemerkt, was für ein bescheuertes Bild von ihrer Tochter ständig im Fernsehen gezeigt wurde, und hatten denen von der Abendschau ein besseres gegeben. Sophia stand auf einem Spielplatz, neben einem Schaukelpferd auf Sprungfedern. Das Foto musste auf dem Spielplatz von ihrer Grundschule geknipst worden sein, denn im Hintergrund sah man ein großes Gebäude, in dessen Fenstern lauter bunte Bilder klebten, vermutlich von innen drangemacht.

Im Gegensatz zu dem alten, verschwommenen Foto war dieses hier ganz scharf. Sophia sah darauf zwar auch nicht hübscher aus als sonst, aber immerhin viel netter. Sie lächelte. Ihre Haare waren gewaschen und sie trug auch nicht mehr das zerknitterte rosa T-Shirt mit dem dicken Erdbeersoßenfleck auf der Brust, sondern ein gebügeltes hellblaues. Allerdings …

Ich beugte mich vor. Es war kaum zu glauben, aber Sophia hatte das hellblaue T-Shirt fast an derselben Stelle schon wieder bekleckert! Die Kamera holte das Bild immer dichter ran. Und zum zweiten Mal an diesem Abend blieb mir das Herz stehen. Das war kein Soßenfleck, wie ich jetzt erkannte.

Es war ein kleines, knallrotes Flugzeug mit einer abgebrochenen Flügelspitze.

AUF DER SUCHE NACH SOPHIA

Liebe Mama,

den Computer habe ich absichtlich angelassen, damit Du gleich mein Tagebuch findest, wenn Du nach Hause kommst. Ich will Dir keinen Kummer machen, aber ich muss Oskar helfen. Das ist der mit dem blauen Helm. Wenn mir was passiert, kannst Du meinen Reichstag knacken, um die Beerdigung zu bezahlen. Falls Onkel Christian gestorben ist, kannst Du mich aber auch zu ihm in den Sarg legen. Wenn ich tot bin, macht mir das nichts mehr aus. Herzliches Beileid!

Dein Rico

Noch was: Der Bühl soll sich gefälligst um Dich kümmern! Er ist sehr nett und hat ein schönes Wohnzimmer, vor allem die Decke. Ich hab Dich lieb!

Es war halb neun Uhr morgens und der Tag war frisch und nass. Ich stand vor der Dieffe 93 und guckte in eine schmutzige Pfütze, die der Regen der letzten Nacht auf dem Gehsteig hinterlassen hatte. Von den Bäumen mit der Pelle-Rinde waren Blütensamen reingerieselt, hunderte und hunderte. Sie sahen aus wie winzige Fallschirmflieger. Ab und zu fiel aus den Zweigen über mir ein Tropfen, platschte in die Pfütze und ließ die Samen wie kleine Boote über das flache Wasser schießen.

Ich war gut ausgerüstet. In meinem Rucksack steckte Mamas Stadtplan von Berlin. Das Geld, das sie mir dagelassen hatte, hatte ich ebenfalls dabei – zwanzig Euro. Und wenn ich an meine Hosentasche griff, konnte ich den roten Flieger ertasten, den ich aus dem Müllcontainer gefischt hatte.

Eins war ja wohl mal klar: Oskar musste diesen Flieger von Sophia geschenkt bekommen haben – genau diesen Flieger mit der abgebrochenen Flügelspitze. Dass er ihn ihr geklaut hatte, konnte ich mir nicht vorstellen.

Aber warum hatte er Sophia in Tempelhof besucht?

Was hatte sie ihm erzählt?

Ich wurde einen Verdacht nicht los, den ich selber einerseits völlig unglaubwürdig fand, andererseits aber völlig passend, wenn man jemanden wie Oskar kannte: Oskar hatte auf eigene Faust versucht, Mister 2000 aufzuspüren. Wie er auf diese beknackte Idee gekommen war und warum seine Suche ihn letzten Samstag in die Dieffe verschlagen hatte, wusste ich nicht. Aber er musste einem Hinweis nachgegangen sein, den er von Sophia erhalten hatte. Einem entscheidenden Hinweis, den Sophia der Polizei entweder nicht gegeben oder den keiner ernst genommen hatte.

Mir schwirrte der Kopf so sehr, dass es fast wehtat. Hatte Mister 2000 sich Oskar womöglich gar nicht zufällig ausgesucht, sondern ihn deswegen gekidnappt, weil der ihm auf die Schliche gekommen war? Wollte Oskar Mister 2000 allein überführen und hatte sich deshalb freiwillig als Opfer angeboten, indem er einfach jeden Tag ein bisschen allein durch die Gegend gelaufen war? Und falls das so war, warum hatte Oskar niemanden in seinen Plan eingeweiht?

Solche Gedanken flogen in meinem Kopf wild durcheinander, wie aufgescheuchte Hühner, hinter denen einer mit dem Hackebeil her ist. Letzte Nacht war ich schon im Nachdenksessel eingeschlafen vor lauter Anstrengung. Aber immerhin war ich vorher noch auf die Idee gekommen, Sophia aufzusuchen – auch wenn ich jetzt nicht von der Stelle kam, sondern hier stand und in diese blöde Pfütze glotzte.

Mann, Mann, Mann!

Es ist nicht etwa so, als wäre ich noch nie aus dem Kiez rausgekommen oder hätte noch nichts von Berlin gesehen. Aber ich war noch nie allein in der Stadt unterwegs. Irina hat einen schnellen Flitzer, mit dem fahren wir an schönen Sommertagen zu dritt durch die Gegend. Wir düsen vom Alex zum Funkturm und wieder zurück, am Brandenburger Tor vorbei und dann rein nach Mitte, und dabei hören wir coole russische Musik. Wo es uns gefällt, steigen wir aus und setzen uns vor schicke Lokale. Die Sonne scheint dabei auf Irinas goldene Fußkettchen und auf Mamas Fingernägel mit rosafarbenem Glimmer oder dergleichen, und die Frauen trinken Champagner und lachen sich tot, und ich trinke Cola und freue mich, dass so viele Männer Mama toll finden, die gucken sie nämlich alle an, auch wenn Mama nie einen von ihnen fragt, ob er mal was abhaben möchte von ihrem Schampus.

Aber mich alleine in Berlin zurechtzufinden, ist eine ganz

andere Sache. Schon die Vorstellung, nach Tempelhof aufzu-
brechen, ohne die genaue Richtung zu kennen, ließ mich
wie versteinert auf dem Gehsteig stehen. Mamas dicken
Stadtplan traute ich mich nicht aufzuschlagen. All die Linien
und bunten Farben, dazu das winzige Geschreibsel und die
vielen komischen kleinen Zeichen: Nichts für Rico! Der
Stadtplan und die Bingotrommel in meinem Kopf waren wie
füreinander geschaffen.

Das fing wirklich gut an.

Ich drehte mich um, als hinter mir die Haustür aufging.
Der Kiesling sieht nicht so toll aus wie der Bühl, aber auch
nicht viel schlechter. Wie aus dem Ei gepellt ist er immer, hat
Frau Dahling mal gesagt, und das stimmt. Er trägt todschicke
Klamotten und Schuhe und er hat eine riesige Sonnenbril-
len-Sammlung. Frau Dahling fragt sich immer, wie er all den
Schnökes bloß bezahlt mit seinem Zahntechniker-Gehalt.
Der Kiesling geht nämlich außerdem jede Woche einmal
zum Friseur, und ihm gehört das coolste Auto aus der ganzen
Dieffe, ein alter Porsche, in dem noch nicht alles automatisch
funktioniert. Der Wagen stand direkt auf der anderen Straßenseite. Den Schlüssel dazu hielt der Kiesling in der Hand,
als er aus der Tür trat.

Manchmal, wenn man eine gute Idee hat, kriegt man für
einen Moment fast keine Luft mehr. Unglücklicherweise bemerkt das dann jeder gleich an der Gesichtsfarbe. Der Kiesling sah es sogar durch seine dunkle Sonnenbrille.

»Alles in Ordnung, Rico?«, sagte er.

Ich zwang mich zum Einatmen und nickte. Wir kennen uns nicht so gut. Der Kiesling fand's damals nicht so toll, als ich mir seine Wohnung angucken wollte, und wenn wir uns im Treppenhaus treffen, unterhalten wir uns fast nie.

»Du bist früh unterwegs«, sagte er. »Habt ihr nicht Ferien?«

»Ich hab auf Sie gewartet«, antwortete ich.

Jetzt schob er überrascht die Sonnenbrille zurück. »Auf mich?«

»Ich muss in Ihre Richtung«, sagte ich. Das Zahnlabor, in dem er arbeitet, liegt in Tempelhof. Darauf hätte ich schon viel früher kommen können.

»Tempelhof? Was willst du denn dort?«

»Eine Freundin besuchen.«

»Ach ja?« Wenn er grinst, sieht er immer ein bisschen arrogant aus. »Ich dachte, Freundinnen besucht man abends.«

»Nicht *so* eine Freundin!« Fast hätte ich ihm erklärt, dass ich in Jule verknallt bin, aber das ging ihn nichts an. Ich fragte ihn ja auch nicht nach seinen Verknallereien und seinen Typen aus.

»Also, nehmen Sie mich mit?«

»Sei mein Gast!«, sagte er und zeigte auf den Porsche. »Aber wenn du den Wagen dreckig machst, werfe ich dich auf der Stelle raus!«

Wir überquerten die Straße und er schloss mir die Beifahrertür auf. Kaum saß ich, kramte ich den Stadtplan aus dem Rucksack, schlug ihn auf und strichelte mit einem Finger darauf herum. Der Kiesling stieg auf der anderen Seite ein, schnallte sich an und warf einen Blick auf den Stadtplan.

»Was suchst du da?«

»Die Schule.«

»Welche Schule?«

»Vor der ich mit meiner Freundin verabredet bin, auf dem Spielplatz.«

»Ich dachte, du willst nach Tempelhof. Warum hast du den Grunewald aufgeschlagen?«

Es war eine von den wenigen Doppelseiten im Stadtplan, auf der nicht so beunruhigend viel draufstand. Alles hübsch grün vor lauter Bäumen, auch wenn ich bis gerade eben geglaubt hatte, das sollte Wiesen darstellen. Die meisten eingezeichneten Wege hatten keine Namen, die einen durcheinanderbringen konnten, und an einer Seite floss schön blau die Havel vorbei. Ich hielt dem Kiesling den Stadtplan unter die Nase.

»Könnten Sie mal für mich nachgucken? Ich finde mich nicht zurecht«, gestand ich widerwillig.

»Wegen deiner Behinderung, oder?«

Wie der das so locker sagte, und wie er schon wieder dabei grinste! Ich musste mir auf die Zähne beißen, um ruhig zu bleiben. Wenn ich den Kiesling jetzt anbrüllte, würde er mich nie bis Tempelhof mitnehmen. Es nervt, wenn manche Leute einen für total bescheuert halten, nur weil man manchmal ein bisschen langsamer ist als sie. Als würde mein Gehirn versuchen, mit einem Auto ohne Lenkrad zu fahren.

Ich beschwere mich ja auch nicht darüber, dass die anderen zu schnell denken oder weil irgendjemand alle möglichen Himmelsrichtungen und rechts und links erfunden hat oder Backöfen mit siebenundzwanzig verschiedenen Einstellmöglichkeiten, um ein einziges popeliges Brötchen aufzubacken.

»Ich bin nicht absichtlich tiefbegabt und außerdem nur ein bisschen«, sagte ich sauer und zeigte auf den Stadtplan. »Manchmal weiß ich bloß nicht, wo vorn und wo hinten ist und dergleichen.«

»Ach, echt?«, sagte der Kiesling. »Na dann, willkommen im Club.«

»Das ist ja wohl nicht so schlimm, oder?«

»Habe ich auch nicht behauptet.«

»Aber dafür ist mein Gedächtnis absolut fabelhaft!«

»Hey, schon gut!« Er hob beide Arme, als würde ich ihn mit einer Pistole bedrohen. »Tut mir leid, wenn ich dir zu nahe getreten bin. Also, wie heißt denn diese Schule?«

Ich lehnte mich in den Sitz zurück. »Hab ich vergessen.«

Er seufzte ungeduldig. »Hör mal, Kleiner, so wird das nichts! Es gibt Gott weiß wie viele Grundschulen in Tempelhof, die kann ich unmöglich alle mit dir abklappern.«

Ich zog nur die Nase hoch. Der Kiesling verdrehte die Augen.

»Also gut, pass auf: An einer Schule fahre ich direkt vorbei, die liegt praktisch auf dem Weg. Dort setze ich dich ab. Danach musst du zusehen, wie du dich allein zurechtfindest. Ich kann nicht wegen dir zu spät zur Arbeit kommen.«

Ich öffnete den Mund, um zu antworten.

»Und keine Diskussionen!« Er steckte den Schlüssel ins Zündschloss und nuschelte fast unverständlich: »Gab Montag schon genug Stress, weil ich mir den Nachmittag freigenommen hatte.«

»Wofür denn?«, fragte ich interessiert. Montag war der Tag gewesen, an dem ich ihn zusammen mit dem Bühl und dem Marrak im Treppenhaus gesehen hatte.

»Das geht kleine Jungs nichts an.«

»Warum nicht?«

»Weil's was mit großen Jungs zu tun hat.«

Dann eben nicht! Der sollte sich bloß nicht einbilden, ich hätte noch nie zwei Männer knutschen sehen oder dergleichen. Ich drückte mich beleidigt noch tiefer in den Sitz. »Fahren wir jetzt los?«

»Sobald du dich angeschnallt hast, Chef.« Der Kiesling schob sich die Sonnenbrille vor die Augen und drehte den Zündschlüssel um. »Und wenn du mir versprichst, dass du unterwegs um Himmels willen die Klappe hältst!«

Es war ein sehr großes Glück, dass die Schule, vor der mich der Kiesling absetzte, auf Anhieb die richtige war. Wer weiß, wie die Sache sonst ausgegangen wäre. Ich erkannte das Gebäude sofort wieder, die roten Backsteine, die bemalten Fenster, sogar das Pferd mit den Sprungfedern auf dem Spielplatz entdeckte ich.

Hinter mir gab der Kiesling ordentlich Gas und fuhr mit quietschenden Reifen davon. Ich sah ihm kurz nach. Die Fahrt mit dem Porsche war der Hammer gewesen! Es hatte sich nicht wie fahren angefühlt, sondern wie über dem Boden schweben. Der Motor hatte geschnurrt wie eine zufriedene Katze, und der Kiesling hatte kaum das Lenkrad bewegen müssen. Okay, das lag daran, dass wir anfangs eine ganze Weile geradeaus gefahren, nur einmal an einer Kreuzung abgebogen und dann wieder ewig weit geradeaus gefahren waren. Trotzdem war es cool gewesen. An jeder Ampel hatte der Kiesling ungeduldig aufs Gaspedal getreten. Dann hatte der Motor aufgeröhrt, und alle Leute hatten uns angeguckt. Toll!

Erst zuletzt war es schwierig geworden: Hier ein bisschen in die eine Straße rein und da ein bisschen in die nächste, noch mehr Kreuzungen, noch mehr Ampeln, und dazwischen die Bingokugeln in meinem Kopf, die alle mit derselben Stimme klackerten: *Du findest nie zurück nach Hause, du findest nie zurück nach Hause …*

Wir würden ja sehen!

Ich blickte mich um. Der hier und dort von grünen Büschen umwachsene Spielplatz vor der Schule war leer. So gut wie niemand geht um halb zehn Uhr morgens auf einen Spielplatz, aber das war keine Blödheit von mir, sondern ich hatte es erwartet. Je länger ich mich hier aufhielt, umso größer war die Wahrscheinlichkeit, jemanden zu treffen, der mir weiterhelfen konnte: ein Kind, das hier ebenfalls zur Schule ging und Sophia kannte, das berühmte Mädchen, das entführt worden war.

Ich stapfte ein wenig herum. Die Sitzflächen der Schaukeln glänzten nass. Der Sand in den Sandkästen war dunkelgrau und pappig. Im Gestänge der Klettergerüste hingen überall dicke Tropfen. Etwas abseits, auf dem Weg zum Schulgebäude, stand eine Bank. Auf der Rückenlehne saßen zwei Jungen. Der eine hatte blonde Stoppelhaare und war etwa so groß wie Oskar. Der andere hatte unordentliche braune Haare, war ein gutes Stück größer als ich und redete eindringlich auf den Stoppelkopf ein. Wenn er an jüngere Kinder gewöhnt war, würde er mich sicher nicht gleich verkloppen, falls ihm meine Nase nicht passte.

Langsam schlenderte ich auf die beiden zu. Der Große war so sehr mit Reden beschäftigt, dass er mich erst bemerkte, als ich schon bis auf zwei Meter an sie rangekommen war. Der Kleine hatte mich die ganze Zeit beobachtet, mit bewegungslosem Gesicht und ohne den Großen auf mich aufmerksam zu machen.

»Was ist?«, sagte der Große, als ich vor ihnen stand. Er guckte nicht böse oder unfreundlich. Eher genervt, weil mein Auftauchen ihn ablenkte.

»Kennt ihr euch hier aus?«, fragte ich ihn.

»Warum?«

»Ich suche jemanden, der hier in der Nähe wohnt.«

Das war nur eine Vermutung, aber die meisten Kinder haben es nicht weit bis zu ihrer Schule. Sophia saß vielleicht nur einen Häuserblock von hier entfernt in ihrem Kinderzimmer und sortierte ihre bunten T-Shirts.

Der Große gab keine Antwort.

»Sie heißt Sophia und geht auf diese Schule«, fuhr ich beharrlich fort. »Ihren Nachnamen kenn ich nicht. Sie ist das Mädchen, das vom ALDI-Kidnapper entführt wurde.«

Er nickt bloß, als würden ihn jeden Tag Leute nach Sophia befragen. »Und wenn ich weiß, wo sie wohnt?«

»Kannst du es mir ja sagen.«

»Du hast dich ja nicht mal vorgestellt.«

»Ich heiße Rico.«

»Felix.«

»Nein, Rico.« Hörte der schlecht?

»*Ich* bin Felix. Also, was willst du von Sophia?«

»Sie ist meine Freundin.«

»Du kennst ihren Nachnamen nicht und du weißt nicht, wo sie wohnt?« Er lachte leise auf. »Komische Freundin. Komischer Freund.«

»Ich kann mir Adressen und dergleichen nicht behalten. Ich bin tiefbegabt.«

Felix kniff die Augen zusammen. Er verstand das Wort nicht. Es dauerte nur eine Sekunde, dann war der Kampf mit mir selbst ausgefochten und ich sprach das verhasste andere Wort dafür aus. »Behindert. Aber nur im Kopf und nur manchmal«, fügte ich rasch hinzu.

Der blonde Stoppelkopf sah mich unentwegt an, ohne einen Pieps von sich zu geben. Womöglich atmete er nicht mal. Er hatte hellblaue und irgendwie wässrige Augen, die aussahen, als könnte ein Marienkäfer darin baden. Ich fand ihn ein bisschen unheimlich.

»Also, mal angenommen, du bist wirklich leicht beknackt«, sagte Felix. »Warum sollte ich dich dann auf Sophia loslassen?«

»Weißt du denn, wo sie wohnt?«

»Ich geh mit ihrem Bruder in dieselbe Klasse. Ist ein Vollidiot.« Er überlegte kurz. »Vielleicht wird man automatisch ein Vollidiot, wenn man sich das Zimmer mit seiner kleinen Schwester teilen muss. Ich würde jedenfalls wahnsinnig. Vielleicht ist Tobias aber auch nur tiefbegabt.«

»Wer ist Tobias?«

»Sophias Bruder, du Hirnbremse!«

Das war doch unerhört! Erst der Kiesling und jetzt auch noch Felix. Zum zweiten Mal an diesem Morgen musste ich meinen Ärger runterschlucken, um weiterzukommen. Falls ich Oskar je wiedersah, war er mir mehr schuldig als einen Spaziergang am Landwehrkanal mit anschließendem Eisessen, das stand mal fest.

»Fünf Minuten früher, und du wärst mit Tobias zusammengerauscht. Seine Mutter hat ihn zum Einkaufen geschickt.« Er kicherte leise und zeigte mit einer Hand über die Schulter. »Rüber zu ALDI.«

»Ich will Sophia nur was fragen«, sagte ich.

»Was?«

Er würde mich nicht zu ihr bringen, wenn ich es ihm nicht verriet. Das sagte er nicht, aber ich konnte es in seinem Gesicht sehen.

Ich holte tief Luft. »Der Junge, der gestern entführt wurde …«

»Was ist mit dem?«

»Sophia kennt ihn. Und ich dachte, ich frag sie mal —«

»Ob sie ihn auf Mister 2000 angesetzt hat? Alter, du bist vielleicht drauf!« Felix stieß ein lautes Lachen aus, so begeistert war er von seiner dämlichen Idee. Dann wurde er wieder ernst. »Was willst du von ihr hören? Infos, die sie der Polizei verschwiegen hat?«

»So was in der Art«, murmelte ich.

»Weil sie einem Kind eher vertraut als einem Erwachsenen?«

Ich nickte. Das war meine Idee gewesen, und dieselbe Idee musste auch Oskar gehabt haben.

»Na dann.«

Unvermittelt schwang Felix sich von der Bank. Der Stoppelkopf tat es ihm gleich.

»Du weißt schon, mit wem du dich da anlegen willst, he?«, sagte Felix, als wir den Spielplatz verließen. »Mister 2000 persönlich, der cleverste Entführer aller Zeiten!

Wenn der dich erwischt, schneidet er dir zuerst die Ohren ab.«

»Sagt wer?«

»Sage ich. Sie schneiden immer zuerst die Ohren ab.«

Das hatte ich nicht gewusst.

»Danach eine Hand! Und dann, wenn er immer noch keine Kohle gekriegt hat, den dazugehörigen Arm. Den anderen Arm muss er vorerst dranlassen, damit du noch einen Bettelbrief an deine Eltern schreiben kannst, verstehst du? Also nimmt er sich als Nächstes die Beine vor.«

»Findest du das nicht etwas übertrieben?«

Er schüttelte den Kopf, und seine braunen Haare wurden noch unordentlicher. »Ich will mal Schriftsteller werden. Schriftsteller übertreiben immer, hast du das nicht gewusst?«

»Ich lese nur Comics.«

»Da wird erst recht übertrieben.«

Es war schwierig, ihm auf den Fersen zu bleiben. Er machte schrecklich große Schritte. »Und, hast du schon was geschrieben?«

»Jede Menge.«

»Ist es gut?«

»Das musst du Sven fragen.«

»Wer ist Sven?«

»Na, wer wohl?«

Der Stoppelkopf an seiner Seite gab immer noch keinen Mucks von sich. Er musste doppelt so viele Schritte machen wie Felix, aber er trabte neben ihm her, als wäre er mit einem unsichtbaren Seil an ihm festgebunden.

»Ihm erzähle ich meine neuen Ideen«, sagte Felix. »Wenn er eine Geschichte gut findet, schreibe ich sie auf. Vorher nicht.«

Das war es wohl, wobei ich ihn gestört hatte. Er hatte Sven seine neueste Geschichte erzählt. Ich hob eine Hand und winkte dem Stoppelkopf zu. »Hallo Sven.«

Keine Antwort. Sven sah mich nicht mal an.

»Er kann dich nicht hören«, sagte Felix. »Er kann auch nicht sprechen. Ist taubstumm.«

»Man sagt nicht taubstumm. Es heißt gehörlos.« Das wusste ich aus dem Förderzentrum.

»Mir egal, wie es heißt.« Felix ging immer schneller, den Blick schnurgeradeaus gerichtet. »Hauptsache, mir hört einer zu.«

Das mehrstöckige Haus, in dem Sophia wohnt, steht zwischen vielen anderen mehrstöckigen Häusern, die alle gleich aussehen. Keine Balkone, glatte Fassaden, braun angestrichen. Die Holzrahmen der Fenster sind irgendwann mal weiß gewesen.

Felix hatte mir gezeigt, bei wem ich klingeln musste, bevor er mit Sven im Schlepptau weitergezogen war, wohin auch immer. Ich hatte den beiden nachgeschaut. Wie verrückt muss man sein, um einem Gehörlosen seine Geschichten zu erzählen? Und wie verrückt muss man sein, um jemandem zuzuhören, ohne ihn zu hören? Aber weder Felix noch Sven schämten sich dafür. Ihre seltsame Freundschaft war ihnen nicht peinlich. Für sie war sie die normalste Sache der Welt. Das machte, dass ich mich selber gleich viel besser fühlte.

Aber nicht für lange.

Als Sophias Mama mir die Tür öffnete, schwappte mir eine Welle von grauem Gefühl entgegen. Es roch sogar grau. Sophias Mama sah nicht aus wie eine Mama, die sich dafür interessiert, welche Kinder in die Schulklasse ihrer Kinder gehen. Das war mein Glück. Sie trug einen schmuddeligen Morgenmantel und winkte mich in die Wohnung, noch bevor ich meinen Spruch ganz aufgesagt hatte.

»Guten Morgen. Ich bin ein Freund von Tobias und —«

»Ist einkaufen.« Ich stand vor ihr in einem düsteren Flur. Mit einer Hand zeigte sie über meine Schulter hinweg. In der anderen hielt sie eine qualmende Zigarette. »Kommt aber bald wieder. Kannst so lange in seinem Zimmer warten.«

Ich betrachtete fasziniert ihre Fingernägel. Sie waren rosa angemalt und splitterig. Keine Klebchen drauf. Niemals würde meine eigene Mama mit dermaßen ungepflegten Nägeln unter die Leute gehen. Und die Haare würde sie sich gefälligst auch kämmen, direkt nach dem Zähneputzen.

Sophias Mama schlurfte zurück ins Wohnzimmer. Durch die offene Tür sah ich einen Flachbild-Fernseher. Er war noch größer als der von Frau Dahling und er musste nagelneu sein, denn er war das Einzige in der ganzen Wohnung, was strahlte. Ich hatte ihn schon vor der Tür im Treppenhaus ziemlich gut gehört. Hier, in der Wohnung, klang er nervend laut. Zwei Nachbarn keiften sich in einer Talkshow an, weil der eine dem anderen betrunken über den Gartenzaun gepinkelt hatte und daraufhin dessen Rabatte eingegangen waren.

RABATT: Wenn man was einkauft und dafür eine kleine Gutschrift bekommt. Viele Einkäufe später ist es eine große Gutschrift und man kann sich was Tolles dafür kaufen. Keine Ahnung, warum jemand auf einen Rabatt draufpinkelt oder warum Leute ihn überhaupt im Garten liegenlassen.

Im hinteren Teil des Flurs gab es nur zwei weitere Zimmer. An einer Tür klebten bunte Bildchen und ein Poster mit einer Barbiepuppe drauf. Ich klopfte leise an und trat ein. Wenn Sophia nicht zu Hause war, würde ich sofort heimlich abhauen.

In dem Zimmer herrschte das größte Durcheinander, das ich je gesehen habe. Spielzeug, Klamotten, Comics, Schulzeug, Hüllen von CDs und Computerspielen waren über den Boden verstreut. Leere und halbleere Sprudelflaschen, benutzte Teller und Tassen standen und lagen überall herum.

Ein Kind musste Tage brauchen, um sich durch so viel Dreck einen Weg nach draußen in den Flur zu bahnen. Und über allem lag dieser traurige graue Schleier, als wäre hier vor fünfzig Jahren ein Staubsaugerbeutel explodiert.

Sophias Oberkörper ragte aus der Unordnung heraus wie eine zum Untergang verdammte Insel. Sie stand einfach so da, in der Mitte des Zimmers, als ob sie schon lange auf jemand anderen wartete oder wie jemand, der sich auf einen Wettbewerb im Einschlafen im Stehen vorbereitet.

»Hi!«, sagte ich.

Sie runzelte die farblosen dünnen Brauen. Ihr Blick war so trübe, als versuchten ihre Augen, in diesem grauen Zimmer nicht weiter aufzufallen. Hinter ihr erhob sich ein Etagenbett. Sie musste ziemlich müde sein, bis sie sich jeden Abend über die Müllberge ins Bett gekämpft hatte. Mir blieb nicht viel Zeit. Tobias konnte jeden Moment vom Einkaufen wiederkommen. Ich zog das rote Flugzeug aus der Hosentasche. Und plötzlich wurde Sophias Blick ganz hell.

»Den habe ich von Oskar, und er hat ihn von dir.«

Sie starrte den Flieger an. Ihre Augen füllten sich mit Tränen.

»Er schwebt in großer Gefahr – das weißt du doch, oder?«

Für einen Moment befürchtete ich, sie hätte von Oskars Entführung nichts mitgekriegt, aber dann nickte sie. Hätte mich auch gewundert, schließlich lief hier bestimmt den ganzen Tag die Glotze. Das Gezänk der streitenden Nachbarn aus der Talkshow drang bis ins Kinderzimmer.

»Du hast Oskar etwas erzählt, oder?«, sagte ich vorsichtig. »Etwas, das du der Polizei verschwiegen hast, weil der Entführer gedroht hat, dass dann was Schlimmes passiert. Hab ich Recht?«

Endlich machte sie den Mund auf. Ihre Stimme war so piepsig wie die von einem Vogel, der gerade aus dem Nest abgehauen ist, sich aber noch nicht zu fliegen traut.

»Der Klimpermann hat gesagt, wenn ich ihn verpetze, holt er Jannek und macht ihn tot.«

Ich sah sie irritiert an. »Jannek?«

Sie zeigte auf einen klebrigen Schreibtisch, der so voll war, dass man dort nicht mal einen Einkaufszettel beschreiben konnte. Ein Fernseher thronte neben einem Computerbildschirm. Hinter einer fettigen, verknitterten McDonald's-Verpackung stand ein rundes Goldfischglas. Etwas Gammeliges paddelte darin herum.

»Er ist krank. Da ist irgendwas an seinen Flossen.«

Also echt, wenn das mal nicht das Allertraurigste von der Welt war! Mister 2000 hatte Sophia gefragt, wen sie am liebsten hatte, um sie damit zu erpressen. Und Sophia hatte ihm nicht ihre Eltern oder ihren Bruder genannt, sondern ihren kranken Goldfisch!

Ich glotzte das runde Glas an und Jannek glotzte zurück. Er wedelte mit zwei farblosen, merkwürdig zerfaserten Brustflossen. Mir wurde mulmig. Womöglich waren Bakterien für diese Krankheit verantwortlich, die hier irgendwo im Zimmer zwischen oder hinter den Müllbergen lauerten.

Womöglich waren es springende Bakterien oder fliegende. Ich versuchte, nur noch ganz vorsichtig zu atmen, und konzentrierte mich wieder auf Sophia.

»Warum nennst du den Entführer Klimpermann?«

Sie schüttelte langsam, aber trotzig den Kopf.

»Mir kannst du es ruhig sagen. Ich verrate es keinem.«

»Das hat Oskar auch gesagt!«, stieß sie unerwartet laut aus. »Und jetzt ist er in dem grünen Zimmer eingesperrt!«

»Was für ein grünes Zimmer?«

Keine Antwort.

»Sophia, Oskar ist mein Freund«, drängte ich. »Ich will ihm helfen, aber das kann ich nur, wenn du mir hilfst!«

In ihre Augen war ein abwehrendes Funkeln getreten.

Sie ballte die kleinen Hände zu Fäusten.

Ihre schmalen Lippen wurden zu noch dünneren Strichen.

Da war nichts zu machen. Ich hielt ihr den roten Spielzeugflieger entgegen. Sie nahm ihn zögernd an, als hätte sie nie ein kostbareres Geschenk erhalten. Mit einem plumpen Finger streichelte sie über die abgebrochene Flügelspitze.

»Er hat gesagt, er mag mich«, sagte sie leise.

»Das tut er auch. Er hat den Flieger ständig getragen. Aber irgendwann hat er ihn verloren. Als er entführt wurde vielleicht.«

Sie sah zu mir auf, jetzt wieder ganz trotzig. »Ich war teuer«, sagte sie.

»Ja, ich weiß.«

»Aber Mama hat Geld gekriegt für die Interviews.«

Ich nickte. Der neue Fernseher. Sein Dröhnen begleitete mich bis ins Treppenhaus, als ich diese traurige Wohnung verließ, in der das graue Gefühl eine Heimat gefunden hatte.

Wieder draußen, wurde mir ein bisschen bedrohlich zu Mute. Die großen Häuser zu allen Seiten schienen immer dichter aneinanderzurücken und sich zu mir runterzubeugen. Die schmutzig weißen Fenster glotzten mich an wie tausend Augen. Ich kramte hektisch den Stadtplan aus dem Rucksack, schlug ihn auf, guckte rein und schlug ihn sofort wieder zu. Ich wette, dass schon Leute wahnsinnig geworden sind bei dem Versuch, einen Stadtplan zu lesen.

Es hatte keinen Zweck, ich musste mir anders helfen. Wenn ich eine U-Bahn-Station fand, würde es schon irgendwie weitergehen. Ich musste es nur mit irgendeiner Linie bis zum Kottbusser Tor schaffen, der Rest war ein Klacks. Den Eingang in die U-Bahn am Kottie kann ich nämlich prima vom Doyum Grillhaus aus sehen, wenn ich dort einen Döner oder dergleichen futtere. Von da aus nach Hause ist es genau wie umgekehrt.

Auf der anderen Straßenseite stand ein Kiosk. Da konnte ich nach dem Weg fragen. Weit und breit war keine Fußgängerampel in Sicht, aber es herrschte kaum Verkehr. *Jedes Jahr verunglücken fast vierzigtausend Kinder in Deutschland,* hörte ich Oskar sagen. *Fünfundzwanzig Prozent als Fußgänger.*

Das waren bestimmt mehr als hundert, schätzte ich. Vorsichtshalber streckte ich einen Arm aus, die Hand wie ein Pfeil nach vorn, und lief mit zusammengekniffenen Augen los, quer über den Damm.

Kein Quietschen von Bremsen, kein Hupen. Es ging alles glatt.

Ein Opfer weniger.

Vor dem Kiosk waren jede Menge Zeitungsständer aufgebaut. Von allen Seiten kündeten dicke Schlagzeilen von Oskars Entführung. Auf der BZ war ein ähnlicher Stadtplan abgebildet wie der, den ich gestern Abend im Fernsehen gesehen hatte, mit sechs roten Punkten drauf, um die Orte der einzelnen Entführungen zu markieren. Darunter stand: *Das Muster des Schreckens!* Und in etwas weniger fetten Buchstaben: *Eltern in Panik – ist IHR Kind das nächste?*

Die Kioskfrau hatte all die Zeitungen entweder nicht gelesen oder es war ihr einfach egal, wenn Kinder elternlos durch die Gegend liefen. Jedenfalls guckte sie mich nur kurz und unverwundert an, als ich sie nach dem Weg zur nächsten U-Bahn-Station fragte.

Ihre Antwort konnte ich mir nicht behalten. Es kam so viel links da und rechts dort und dann wieder links darin vor, dass mir ganz schwindelig wurde. Aber ich bedankte mich freundlich. Die Kioskfrau konnte ja nichts dafür, dass ich nur geradeaus laufen kann.

Also zurück zur Straße. Ich stapfte einfach drauflos. Irgendwo würde es schon eine Bushaltestelle oder dergleichen geben, oder ich fand irgendeine U-Bahn-Station per Zufall.

Dann sah ich den Taxistand. Erleichtert trabte ich darauf zu. Ich war noch nie im Leben Taxi gefahren und hatte keine Ahnung, ob Mamas zwanzig Euro von Tempelhof bis in die Dieffe reichten, aber das Geld war bestimmt gut angelegt. Immerhin bekam Mama mich dafür wieder und würde mich nicht in den Alpen oder am Pazifik abholen müssen, weil ich mich verlaufen hatte.

Ich krabbelte auf den Rücksitz des vordersten Wagens in der Warteschlange und zog die Tür hinter mir zu. Der Fahrer hatte eine speckige Falte im Nacken. Er drehte sich zu mir um.

»Und was gibt das jetzt?«, blaffte er mich an.

»Was gibt was jetzt?«

»Was machst du Zwerg allein auf der Straße? Wo sind deine Eltern?«

Langsam wurde es echt anstrengend.

»Ich muss nach Hause, aber ich finde den Weg nicht«, sagte ich. »Und bevor Sie fragen, warum: Ich bin tiefbegabt!«

»Ach ja? Das seid ihr Gören inzwischen doch alle!«

Auf Widerworte hatte ich keine Lust. Ich wollte bloß noch nach Hause in den Nachdenksessel. Klimpermann und grünes Zimmer … ganz toll! Ich konnte weder mit dem einen noch mit dem anderen auch nur das Geringste anfangen. Die Enttäuschung darüber, den Weg zu Sophia völlig umsonst gemacht zu haben, war so groß, dass mir Tränen in die Augen stiegen. Aber der Taxifahrer zeigte kein bisschen Mitleid. Er musterte mich immer noch. Ich probierte Oskars Trick mit dem Zurückgucken, aber der funktionierte nicht.

»Ich frag dich noch mal: Wo sind deine Eltern?«

Der Kerl würde nicht eher losfahren, bis ich ihm irgendeine Antwort gegeben hatte, die ihn zufriedenstellte. Mann, das ging mir alles so was von auf die Nerven! Er kannte sich ja aus in der Stadt und wusste nicht, wie einem zu Mute ist, der Probleme mit der Richtung hat und dem der einzige Freund unter der Nase weg entführt wurde.

»Ich war bei einer Schulfreundin«, sagte ich endlich. »Meine Mutter hat angerufen. Mein Vater ist tot und ich muss sofort nach Hause. Ich soll mir ein Taxi nehmen.«

Das war eine ziemlich dreiste Notlüge, aber sie funktionierte. Ich fing endgültig an zu heulen, und das Gesicht des Taxifahrers fiel in sich zusammen vor Anteilnahme. Er drehte sich um, startete den Wagen und fuhr los. Bis er mich vor der Haustür in der Dieffe abgesetzt hatte, sagte er kein Wort mehr, und als er dreizehn Euro vierzig kassierte, sah er dabei fast aus, als hätte er ein schlechtes Gewissen.

TIEFERSCHATTEN

Traurige Sachen ziehen alle Kraft aus einem raus und machen einem wackelige Beine. Bis zum Mittag hatte ich meine Erlebnisse ins Tagebuch getippt. Jetzt saß ich im Nachdenksessel, glotzte zum Fenster raus und dachte an Felix, den Geschichtenerzähler ohne richtigen Zuhörer, an den stummen Sven mit seinen Marienkäferbadewannenaugen und an Sophia, die von so viel grauem Gefühl umgeben war. Ich dachte an Oskar, der jetzt irgendwo gefangen war und, so schlau er auch sein mochte, ganz bestimmt große Ängste hatte. Dann fiel ich mir selber ein, wie ich wegen meiner Tiefbegabtheit hier herumsaß und nicht weiterwusste. Jemandem, der schlauer war als ich, wäre es bestimmt gelungen, Sophia mehr Informationen zu entlocken.

DEPRESSION: Das graue Gefühl. Mama hat es mal so genannt, als wir uns über Frau Dahling unterhielten. Eine Depression ist, wenn all deine Gefühle im Rollstuhl sitzen. Sie haben keine Arme mehr und es ist leider auch gerade niemand zum Schieben da. Womöglich sind auch noch die Reifen platt. Macht sehr müde.

Ich verkroch mich in mein Zimmer und legte mich aufs Bett. Ab und zu blinzelte ich durchs Fenster auf die rissige Fassade vom Hinterhaus, die tagsüber weniger gruselig war als abends und nachts, wenn die Tieferschatten kamen. Ein bisschen froh und stolz hätte ich immerhin sein können, überlegte ich, weil ich mich allein bis Tempelhof getraut und dabei überlebt hatte. Aber das machten täglich tausende von Menschen. Es war nicht normal, Angst vorm Verlaufen zu haben, nur weil man zu doof für links und rechts war.

Letzte Nacht hatte ich schlecht und viel zu wenig geschlafen. Meine Augen fielen von ganz alleine zu. Irgendwann schreckte ich hoch, weil ich meinte, das Telefon hätte geklingelt, aber die Wohnung war still. Nach dem gestrigen Regentag und dem verhangenen Morgen schien inzwischen wieder voll die Sonne. Draußen musste es richtig heiß sein. Dann döste ich erneut ein.

Im Traum stand Oskar vor mir auf dem Dachgarten der RBs. Eben hatte er seine Mutprobe bestanden, als er über das Geländer nach unten in den Hinterhof geschaut und dabei herumgewippt hatte. Jetzt sah er mich an, und ich wollte unbedingt wissen, ob er mein Freund war. Ich hörte mich meine Testfrage stellen, ob er morgen wiederkommen würde. Ich sah, wie Oskar sich am Arm kratzte. Wie er an seinem Ansteckflieger zupfte. Wie er mit seinen großen Zähnen auf der Unterlippe herumknabberte, bevor er sagte: *Eigentlich habe ich morgen schon was vor. Das kann den ganzen Tag dauern.*

Ich wurde so ruckartig wach, als hätte mir jemand auf den Kopf geschlagen, nur dass es nicht wehtat. Etwas stimmte nicht mit dem Traum. Oder etwas stimmte nicht mit meiner

Erinnerung. Fast konnte ich es mit Händen greifen, aber immer, wenn ich sie danach ausstreckte …

Ganz ruhig bleiben, Rico, nur nicht aufregen! Ich machte die Augen zu und rief noch einmal die Bilder zurück. Sonne auf dem Dachgarten der RBs. Oskar steht am Geländer zum Hinterhof und wipp, wipp, wippt. Er kratzt sich am Arm. Er zupft an dem Flieger, den ich tags darauf im Müllcontainer finden werde, an dem kleinen roten Flieger, diesem Flieger –

– von dem ich bisher geglaubt hatte, er hätte sich von seinem Hemd gelöst und wäre runter in den Hof gefallen, während Oskar am Geländer herumwippte!

Ich schoss dermaßen schnell im Bett hoch, dass mir ganz schwindelig wurde. Meine Erinnerung stimmte nicht! Oskar hatte Sophias Flugzeug noch getragen, als er auf dem Dachgarten der RBs vom Geländer zurückgetreten war! Was nur bedeuten konnte …

»Er ist noch mal hier gewesen«, flüsterte ich.

Aber wann? Nachdem wir uns am Montag verabschiedet hatten, hatte ich vom Wohnzimmerfenster aus zugesehen, wie Oskar das Haus verließ. Ich hatte mir noch einen Spaß daraus gemacht, im Kopf die Schritte mitzuzählen, die er durchs Treppenhaus bis zur Straße zurücklegte, um rauszukriegen, ob wir gleich schnell gehen würden. Oskar war schneller gewesen, als ich gezählt hatte. Am Montag hatte er also auf keinen Fall den Hinterhof aufgesucht, es sei denn, er wäre später noch einmal zurückgekommen und hätte bei jemand anderem geklingelt – sehr unwahrscheinlich. Und am Dienstag, gestern Vormittag, war er bereits entführt worden, vermutlich als er gerade auf dem Weg zu mir gewesen war.

Und das konnte wiederum nur bedeuten ...

Es konnte nur bedeuten ...

Ich hatte keine Ahnung, was es bedeuten konnte, sollte oder musste. Wie immer, wenn ich zu aufgeregt bin, spürte ich meinen Herzschlag und fühlte tausend Geistervögel durch meinen Kopf flattern. Ich umklammerte ihn mit beiden Händen, wie mit einer Schraubzwinge. Verzweifelt starrte ich aus dem Fenster gegen das Hinterhaus. Ich musste ewig geschlafen haben, draußen dämmerte es bereits. Mein Magen knurrte vor lauter Hunger wie ein Kampfhund. Es hätte nicht viel gefehlt, und ich hätte zum zweiten Mal an diesem Tag geweint.

Aber ich wollte nicht weinen. Ich musste mit jemandem reden. Manchmal, wenn man Leuten etwas erzählt, das einen völlig durcheinanderbringt, ist man danach nämlich weniger durcheinander.

Und ich wusste genau, zu wem ich gehen konnte.

»Ich habe mich schon gefragt, ob du dich an meine Einladung erinnern und heute Nachmittag wirklich wiederkommen würdest«, sagte der Bühl. »Wir waren zwar so gut wie verabredet, aber …«

Ich hatte es nicht vergessen. Am besten konnte ich mich an das warme Gefühl erinnern, das mich durchflutet hatte, als ich ihm von meinem toten Papa erzählen wollte. Wie der Bühl mich angeguckt hatte, und wie sein kaltes Wohnzimmer um mich herum aufzutauen schien, als wäre es vorher ein Zimmer aus Winter und Eis gewesen. Ich kam mir vor wie ein kleines Schiff bei hohem Wellengang auf offener See, und der Bühl war mein sicherer Hafen.

»… aber ich hatte den Eindruck, als hättest du plötzlich ein bisschen Bammel vor deiner eigenen Courage bekommen.«

»Was ist Courage?«

»Mut.«

Ich nickte bloß. Jetzt hatte ich zwar ein neues Wort gelernt, aber keine Ahnung mehr, wie der Bühl den Satz begonnen hatte. Wenn ich ihm das beichtete, würde er mich wahrscheinlich sofort wieder für bescheuert halten, und es war wichtig – im Moment war es die wichtigste Sache der Welt! –, dass er einen guten Eindruck von mir behielt. Der Bühl sollte mir helfen, Oskar zu finden.

Ich saß in seinem weißen Wohnzimmer auf seinem weißen Sofa. Vorsichtshalber guckte ich nicht rauf zu der schönen Stuckdecke, um nicht durcheinanderzukommen mit dem Aquarium und dergleichen. Vor mir stand eine Cola auf dem Tisch. Ich hatte überlegt, den Bühl nach Müffelchen zu fragen, aber das hätte er vielleicht als unhöflich empfunden. Er stand da mit seiner coolen Narbe am Kinn, lächelte sein tolles Schauspielerlächeln und guckte zu mir runter.

»Hat deine Mutter sich mal gemeldet?«, sagte er.

»Ich schätze, sie hat es versucht. Irgendwann hat das Telefon geklingelt, aber da hab ich gerade geschlafen.«

Ich nippte vorsichtig an der Cola. Mit Cola muss man aufpassen. Ich hab mal gehört, dass zu viel davon einem von innen Löcher in den Magen brennt, und dann gluckert die Cola einfach durch dich durch und überallhin, und wenn du beim Edeka an der Käsetheke stehst, läuft dir plötzlich braunes Zeug aus der Nase.

»Hast du kein Handy?«, sagte der Bühl.

»Nee. Zu teuer.« Offen gestanden wusste ich auch nicht, mit wem außer Mama ich telefonieren sollte. Man konnte natürlich eine von diesen komischen Nummern anrufen, wo einem dann französische Kochrezepte durchgegeben werden, die Lottozahlen aus Brasilien oder der Wasserstand von irgendeinem Fluss in Russland, aber wer will das schon wissen? Es kostet bloß einen Haufen Geld, sagt Mama immer.

Als hätte das Handy vom Bühl ihn gehört, fing es plötzlich an zu klimpern, genau wie bei meinem letzten Besuch. Der Bühl verdrehte genervt die Augen. »Scheint unser Schicksal zu sein«, murmelte er. »Immer, wenn wir uns unterhalten wollen …«

Er zog das Handy aus der Hosentasche, guckte drauf und

sah plötzlich so aus, als wollte er im Moment sehr viel lieber mit dem Anrufer sprechen als mit mir.

»Gehen Sie ruhig dran«, sagte ich großzügig. Solange er nach dem Anruf nicht gleich wieder aus der Wohnung stürmte ...

Die Lippen vom Bühl bewegten sich, als sagten sie *Entschuldigung,* und im nächsten Moment verschwand er aus dem Wohnzimmer.

Ich stellte meine Cola ab und schaute mich um. Nichts hatte sich verändert, alles sah genauso aus wie gestern. Sogar das leere Glas stand noch unberührt so auf der BILD-Zeitung, wie es gestern gestanden hatte, auf dem inzwischen getrockneten Wasserfleck genau über dem Busen von Fußpflegerin Cindy. Ich rümpfte die Nase, griff nach dem Glas und stellte es ein Stück weiter weg wieder ab. Also, das ging so nicht! Ein bisschen mehr Ordnung musste der Bühl sich schon angewöhnen. Unordnung bringt einen bloß völlig durcheinander, besonders dann, wenn sie sich auch noch mit einem nackten Busen mischt.

Als ich die Zeitung hochhob, um sie zusammenzufalten, kam darunter ein aufgeklappter kleiner Stadtplan von Berlin zum Vorschein. Daneben lag ein Filzstift. Ein paar dicke Punkte auf dem Stadtplan waren damit rot markiert. Es war das Muster, das heute auf jeder Berliner Tageszeitung abgebildet war.

Sechs rote Kreise.

Sechs Entführungen.

Ich starrte entsetzt die roten Kringel an. Es gibt ja diesen Spruch, dass manche Leute zwei und zwei nicht zusammenzählen können. Mag sein, da ist was dran. Aber was kann ich dafür, dass ich mich jedes Mal verrechne und dabei immer nur vier rauskriege?

Jedenfalls fast immer.

Um mich herum schwappte der Winter über dem Wohnzimmer zusammen. Mir wurde so kalt, als hätte jemand mein Herz in einen riesigen Eiswürfel verwandelt. Oskars Entführung war erst gestern Abend in der Sondersendung der Nachrichten bekanntgegeben worden. Aber die sechs roten Kreise auf dem vor mir liegenden Stadtplan waren bereits gestern Nachmittag eingezeichnet gewesen, als ich den Bühl besuchte. Der Bühl hatte von Oskars Entführung gewusst, Stunden bevor der Rest der Welt davon erfuhr! Und da war noch mehr …

Der Klimpermann hat gesagt, wenn ich ihn verpetze …

Das Klimpern von Bühls Handy hatte ich eben erst wieder gehört – Mäuse, die über die Tastatur von einem Klavier liefen.

Kalt und kälter. Eiskalt.

Als ich so vorsichtig wie möglich vom Sofa aufstand, glaubte ich fast, ein Knacksen zu hören, wie von einem Eiszapfen, den man von einer Dachrinne bricht. Ich schlich zur Wohnzimmertür und lugte in den Flur. Die Stimme vom Bühl drang leise, aber aufgebracht aus seiner Küche, und was ich hörte, ließ alle Härchen auf meinen Armen nach oben stehen.

»… die zweitausend Euro erst zusammengekriegt, nachdem Sie mit Ihrer rührseligen Geschichte an die Öffentlichkeit gegangen sind, um irgendeine Bank zu einem kostenlo-
sen Kredit zu bewegen! Ihnen scheint nicht klar zu sein, in
was für eine unmögliche Lage Sie mich damit gebracht haben! Tut mir leid, aber das Leben des Jungen ist jetzt keinen
Pfifferling mehr wert …«

Einen Atemzug später war ich draußen im Hausflur. Einen
weiteren Atemzug später fiel mir ein, dass ich die Zeitung
nicht zurück über den Stadtplan geschoben hatte. Ich wirbelte herum, aber zu spät. Die Tür zu Bühls Wohnung fiel
mit einem donnergewittermäßigen RUMMS! ins Schloss.

Jetzt auch noch das.

Hinter der Tür rief der Bühl: »Rico? Rico!«

Ich spurtete los.

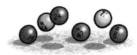

Was die Leute in den Krimis fast immer falsch machen, wenn
sie verfolgt werden: Sie rennen auf ihrer Flucht genau dorthin, wo es am gefährlichsten ist.

In der Zeit, die der Bühl benötigte, um herauszufinden,
was ich in seinem Wohnzimmer herausgefunden hatte, lief
ich nicht runter in unsere Wohnung, wo dieser verlogene

Kidnapper mich sofort suchen würde. Stattdessen hetzte ich, so schnell und so geräuschlos ich konnte, ein Stockwerk weiter nach oben. Den Schlüssel der RBs trug ich ständig bei mir in der Hosentasche, damit ich ihn nicht verlegte. Jetzt ließ ich mich damit in die Dachwohnung ein, drückte die Tür hinter mir bis auf einen winzigen Spalt zu und lauschte.

Keinen Moment zu spät. Aus dem Treppenhaus erklang das Öffnen einer Tür, dann die Stimme vom Bühl: »Rico?«

Ich hörte, wie seine Schritte ihn schnell nach unten trugen, in den Zweiten. Wie er bei uns klingelte. Wie er an unsere Tür erst klopfte, dann heftig dagegenpochte.

»Rico?«

Für ein paar Sekunden herrschte Ruhe. Er überlegte. Er kam auf den einzig naheliegenden Gedanken, dass ich aus dem Haus gestürmt sein musste, wer weiß wohin, vermutlich zur nächsten Polizeistation, um ihn zu verraten. Endlich erneute Schritte, die Treppen rauf. Ich hielt die Luft an. Ein Stockwerk unter mir war Schluss. So leise ich konnte, drückte ich die Tür zu und presste mich mit dem Rücken dagegen. Und wartete. Und überlegte.

Das Warten war der einfachere Teil. Was sollte ich jetzt bloß tun? Runter traute ich mich nicht. Womöglich lauschte der Bühl jedem Geräusch im Haus nach und würde mich im Vierten sofort abfangen. Wenn ich aus irgendeinem Fenster brüllte, wäre er schneller bei mir hier oben als irgendwer sonst. Er sah so stark aus wie jemand, der locker eine Wohnungstür aufbrechen konnte.

Gut, nächste Möglichkeit. In der Wohnung direkt unter mir geisterte Fitzke herum, garantiert zu Hause, garantiert lärmempfindlich, wenn ich nur ordentlich auf dem Fußboden herumstapfte – und garantiert gemein genug, mich dem Bühl mit einem eiskalten Lächeln auszuliefern! Er würde dafür nur meinen Kopf verlangen, denn er sammelte Kinderköpfe, mit denen er in seiner stinkigen Bude Fußball spielte, und für seine Sammlung fehlte ihm nur noch die Rübe von einem Tiefbegabten.

Weiter rauf ging es auch nicht, außer auf den Dachgarten. Von dort aus konnte man prima über die Dächer der Nachbarhäuser flüchten – vorausgesetzt, man machte keinen einzigen falschen Schritt und stürzte nicht ab. Da könnte ich im Vorbeifliegen gerade noch rasch Frau Dahling zuwinken und für all die Müffelchen danken, aber das war's dann auch schon.

PLATSCH!

Und wenn ich mich durch den Paravent auf den Dachgarten vom Marrak durcharbeitete? Mit etwas Glück stand seine Terrassentür auf, immerhin war es draußen ordentlich sommerheiß. Aber dann? Der Marrak war hundertprozentig bei seiner Freundin, um ihr neue Wäsche zu bringen oder um zur Abwechslung mal mit ihr zu knutschen. Dann steckte ich in seiner Wohnung fest statt in der von den RBs. Und falls der Marrak doch zu Hause war, würde er mir nicht glauben. Ich wusste, dass er mich genauso wenig leiden konnte wie der Kiesling oder der Fitzke. Plötzlich hatte ich das schreckliche Gefühl, dass alle möglichen Menschen mich nur deshalb einigermaßen freundlich behandelten, weil sie mich für behindert hielten. In Wirklichkeit ging ich ihnen auf die Nerven, aber das sagt man einem Spasti natürlich nicht, damit er nicht losheult. Der Marrak jedenfalls würde sich bloß über mich kaputtlachen und – noch schlimmer – mich womöglich zum Bühl schleppen. Für einen kleinen Spaß zwischen Männern. Der Bühl würde so lange warten, bis der Marrak gegangen war, und mich anschließend in dünne Streifen schneiden, die er dann in ein Paket packte, das er an Mama schickte, während Oskars Streifen um dieselbe Zeit auf dem Postweg zu dessen Papa waren.

Auf die einfachsten Ideen kommt man manchmal erst zum Schluss. Mein Blick fiel durch den Flur der RBs auf ihr Telefon. Das war mehr als nur die Lösung – es war die Rettung! Ich konnte von Glück reden, dass der Anschluss nicht im verschlossenen Wohnzimmer lag oder dass die misstrauischen RBs es vor mir versteckt hatten aus lauter Angst, ich könnte eine von den Frauen mit den dicken Brüsten aus dem Nachtfernsehen anrufen, das ist nämlich wahnsinnig teuer.

Ich ging zum Telefon, nahm es aus der Schale und starrte es an. Mamas Handynummer kenne ich nicht auswendig, ich kann mir die vielen Zahlen nicht merken. Deshalb hat Mama mir die Nummer irgendwann zweimal aufgeschrieben: Der eine Zettel hängt über unserem eigenen Telefon im Flur, neben dem Spiegel mit den Dickebackenengeln. Den anderen

Zettel habe ich damals eingesteckt und später natürlich verloren. Tausend Mal habe ich mir seitdem vorgenommen, die Nummer neu abzuschreiben, und tausend Mal hab ich es wieder vergessen.

Das hatte ich jetzt davon.

Dann grinste ich. Es gibt eine Telefonnummer, die ich auswendig kenne. Sie hat bloß drei Ziffern. Selbst ein Volltrottel kann sie auswendig lernen. Mama hat sie mich wochenlang beim Frühstück aufsagen lassen: »Wen rufst du an, wenn du in Not bist und mich nicht erreichen kannst?«

Ich holte tief Luft, tippte die Eins, noch mal die Eins und zuletzt die Null und lauschte in den Hörer. Es dauerte eine ziemlich lange Weile, bis jemand abnahm. Wenn der Bühl direkt mit einem Messer hinter mir her gewesen wäre, überlegte ich, hätte er mir in dieser Zeit schon mindestens die Nase und beide Ohren abgerunkelt. Dann endlich, als ich schon dachte, ich hätte mich vertippt –

»Notruf«, quäkte mir eine Männerstimme ins rechte Ohr. »Was kann ich für Sie tun?«

Auf einmal ging mir alles zu schnell. Ich hatte mir gar nicht überlegt, was ich sagen wollte. Jetzt war ich plötzlich durcheinander, bevor ich überhaupt richtig durcheinanderkommen konnte.

»Hallo?«, sagte ich zaghaft.

»Notruf. Bitte sprechen Sie!«

»Mein ... mein Name ist Frederico Doretti«, stotterte ich. »Ich bin ein tiefbegabtes Kind. Deshalb kann ich zum Beispiel nur geradeaus laufen und möchte einen Entführer anzeigen. Hallo?«

»Junger Mann, hör mir mal zu —«

»Mister 2000!«, brüllte ich los. »Der ALDI-Kidnapper, der Oskar entführt hat, das ist der ohne Sturzhelm! Ich weiß, wo er wohnt! Bitte, das müssen Sie mir glauben!«

Aus dem Telefon kam ein leises Pfeifen, als atmete jemand sehr langsam aus, der sich Mühe gab, nicht die Geduld zu verlieren. Bestimmt riefen ihn jeden Tag wer weiß wie viele Leute an, dachte ich, um angeblich Mister 2000 zu melden, sich in Wirklichkeit aber nur einen Jux zu machen. Wegen dieser Quatschköpfe musste ich jetzt womöglich dran glauben!

»Tatsächlich?«, sagte der Mann endlich. »Wo steckt er denn, Junge?«

»Mister 2000 wohnt in der Dieffenbachstraße 93 in Kreuzberg«, sagte ich sehr langsam und sehr deutlich und sehr stolz. »Vierter Stock, Vorderhaus links oder rechts. Der Bühl. Das heißt, eigentlich heißt er Ost… Nein, Westbühl. Simon Westbühl!«

Ich atmete tief durch. In der Leitung entstand eine kurze Pause, als hätten die Himmelsrichtungen sie verstopft. Dann quäkte die Stimme empört: »Jetzt pass mal auf, Kleiner! Ich sehe deine Nummer auf meinem Display! Wenn du noch mal hier anrufst, um uns zu verschiffschaukeln —«

Na bitte! Ich drückte schnell das Telefon aus, ohne den Mann ausreden zu lassen. Hatte ich mir doch gleich gedacht, dass es so laufen würde. Jetzt konnte sich zumindest niemand beschweren, ich hätte es nicht versucht. Aber wirklich weiter half mir das auch nicht.

Ganz ruhig, Rico!

Es konnte ja wohl nicht so schwer sein, sich ein wenig zu konzentrieren und ordentlich nachzudenken. Da ich vorläufig bei den RBs festsaß, konnte ich genauso gut überlegen, wie es mit Oskar und dem Bühl weitergehen würde, schließlich schwebte er in noch größerer Gefahr als zuvor. Der Bühl gab auf sein Leben keinen Pfifferling mehr. Pfifferlinge sind Pilze, also hatte er Oskar vielleicht irgendwo in einen Wald verschleppt?

Blödsinn.

Wo versteckt man jemanden, den man entführt hat? Kommt drauf an, wie man ihn unterbringt. Wenn man dafür sorgt, dass er genug zu essen und zu trinken hat und ein Klo in der Nähe, kann man ihn weit von sich weg verstecken. Das Opfer kann sich dann um sich selber kümmern. Aber Bühls Opfer waren kleine Kinder, fast noch Dötzeken. Die würden aus lauter Panik vor einem gefüllten Kühlschrank glatt verdursten und verhungern und sich noch dazu ständig in die Hosen machen. Dann hätte er den Salat. Nein, je länger ich nachdachte, umso überzeugter war ich davon, dass der Bühl die entführten Kinder in seiner Nähe gefangen hielt, und …

… und seine Nähe war auch meine Nähe!

Exzellente Leistung, Rico!

Ich muss an dieser Stelle zugeben, dass ich allein für den letzten Nachdenkschritt ungefähr zwei Stunden brauchte. Na gut, beinahe drei. Inzwischen hatte ich mich in die Küche der RBs verzogen. Draußen war es längst ratzeduster. Nur der Mond schickte etwas Licht durch die Fenster. Es gab keine Gardinen und ich wagte nicht, das Licht anzuknipsen. Nachdem er gemerkt hatte, dass ich die Polizei nicht verständigt hatte, hielt der Bühl sicher immer noch nach mir Ausschau.

Ich trank Leitungswasser und durchforstete die Küche nach etwas Essbarem. Dass der Kühlschrank leer war, wusste ich zwar, guckte aber trotzdem noch mal rein. Nix zu machen. In einem Hängeschrank entdeckte ich ein Päckchen Nudeln, aber der Gasofen der RBs ist so ein supermodernes Teil, vor dem ich Angst habe. Man will bloß ein Ei kochen, und schon fliegt einem die Wohnung um die Ohren. Also öffnete ich die Nudelpackung, lutschte eine Nudel nach der anderen, guckte dabei auf die Fassade vom Hinterhaus und wartete auf das Auftauchen vom freiwillig explodierten Fräulein Bonhöfer, die dort nach ihrem Aschenbecher suchte.

Die Nudeln fühlten sich riffelig im Mund an. Rigatoni, stellte ich ohne größere Anteilnahme fest, und mit einem traurigen Gefühl im Bauch überlegte ich, dass letzten Freitag, vor der Abreise der RBs, wahrscheinlich der dicke Thorben die Fundnudel aus seinem Zimmerfenster oder über das Dachgartengeländer geworfen hatte. Würde jedenfalls zu ihm passen. Alles hatte mit dieser Fundnudel angefangen, denn ohne sie hätte ich Oskar nicht getroffen, und jetzt würde alles mit einer letzten Fundnudel enden, die der Bühl in mein abgeschnittenes Ohr steckte.

Im dritten Stock vom Hinterhaus marschierte der Tieferschatten von Fräulein Bonhöfer an einem der Fenster ihrer ehemaligen Wohnung vorbei. Ich spuckte die letzte Rigatoni aus und starrte nach drüben, zu geschockt, um wirklich Angst zu bekommen. So deutlich, mit so klaren Umrissen, hatte ich einen Tieferschatten noch nie gesehen. Er kam von der einen Seite, sagen wir mal rechts, bewegte sich zur anderen Seite, also nach links, war dann für eine Weile nicht zu sehen, kehrte zurück und verschwand in die Richtung, aus der er ursprünglich gekommen war, also wieder nach … links?

Ist ja auch egal. Der Tieferschatten verschwand. Und in mir klackerte etwas. Erst dachte ich, es wären die Bingokugeln, die sich bisher erstaunlich ruhig verhalten hatten.

Aber das hier hörte und fühlte sich anders an. Es hörte und fühlte sich an, als wären ein paar Puzzlesteinchen, die bis jetzt geduldig gewartet hatten, soeben an ihren richtigen Platz gefallen.

Plötzlich wusste ich alles.

Also gut, fast alles.

Auf jeden Fall wusste ich, was ich nun tun musste.

IM HINTERHAUS

Trotz der weit geöffneten Tür zum Dachgarten roch es in Marraks Wohnung abgestanden und nach alten Socken. Seine Freundin musste ein ganz fürchterliches Waschmittel benutzen. Ich linste vom Flur aus durch die angelehnte Tür ins Schlafzimmer. Der Marrak lag allein im Bett. Sein Schattenriss hob und senkte sich gleichmäßig. Er schnarchte.

SILHOUETTE: Schattenriss oder Umriss. Wer denkt sich so einen Buchstabensalat bloß aus? Genau: die Franzosen! Ich hab was gegen Franzosen, seit Jule mal gesagt hat, die wären gute Küsser. Außerdem essen sie Frösche, Schnecken und dergleichen womöglich direkt vor dem Küssen. Die haben sie doch nicht alle!

Mir schlug das Herz bis zum Hals. Es war beinahe unmöglich gewesen, mich geräuschlos durch die knisterigen Bambusstangen des Paravents auf dem Dachgarten zu quetschen. Dann hatte ich mir beinahe den Hals gebrochen, als ich auf der spiegelglatten Wendeltreppe zu Marraks Wohnung ausrutschte und mich gerade noch am Geländer festhalten konnte. Der Mond stand hoch am Himmel, aber da er knapp vierhunderttausend Kilometer entfernt leuchtete, war es hier drinnen fast so duster wie im Keller der Dieffe 93.

Der Keller …

Auf diesem Weg, davon war ich inzwischen überzeugt, schaffte der Bühl seine Opfer unauffällig ins verschlossene Hinterhaus. Dessen Kellerräume stehen mit denen vom Vorderhaus in Verbindung. Der Zugang ist eigentlich für alle Hausbewohner verboten – da steht überall Wasser drin. Vor nichts habe ich so große und schreckliche Angst wie vor Wasser. Deshalb habe ich nach unserem Einzug in die Dieffe auch nur einmal mit Mama in den Keller reingeguckt. Funzeliges Licht von einer einsamen nackten Glühbirne. Klamme Luft. Ein fieser Geruch und noch dazu tropfende Geräusche, die klangen, als kämen sie aus unergründlichen Weiten und Tiefen. Nein danke, ohne Rico!

Der Bühl lud die Kinder aus dem Kofferraum seines Autos und schleppte sie ins Haus, alle vorher bewusstlos gemacht und hübsch verpackt, damit keiner was merkte, vielleicht in einem großen Koffer oder in einem Wäschesack wie dem vom Marrak. Dann an Mommsens Parterrewohnung vorbei runter in den Keller, durch das stockdunkle Plitschplatsch und so weiter, und schließlich ab ins Hinterhaus. Wo er die Kinder im dritten Stock gefangen hielt, bis das Lösegeld für sie bezahlt war. Damit sie nicht schreien konnten, klebte der Bühl ihnen Tesafilm über den Mund oder knebelte sie mit stinkigen alten Handtüchern. Und immer, wenn er sie aufsuchte, um ihnen was zu essen zu bringen oder sie aufs Klo zu lassen und dergleichen, huschten die Tieferschatten an den Fenstern in Fräulein Bonhöfers Wohnung vorbei.

So weit war ich mit meinen Schlussfolgerungen beim Nudellutschen gekommen. Aber dann klaffte eine Lücke – etwas fehlte. Dieses Etwas nagte hartnäckig an mir herum. Es hatte irgendwas mit vorwärts oder rückwärts zu tun, mit rechts oder links, mit vorher oder nachher, aber ich bekam es einfach nicht zu fassen. Irgendwann war die Bingomaschine in meinem Kopf so heiß gelaufen, dass ich befürchtete, die RBs würden mich nach ihrem Urlaub mit übergekochtem Gehirn an ihrem Küchentisch finden. Eine schöne Sauerei. Also hatte ich aufgegeben.

Meine Augen gewöhnten sich schneller an die Dunkelheit in Marraks Wohnung, als ich gedacht hatte. Die Durchsuchung des Schlafzimmers hob ich mir für den Schluss auf – mit dem schnarchenden Marrak drin war es dort am gefährlichsten. Was ich suchte, fand ich hoffentlich in einem der anderen Zimmer. Ich tastete mich im Schneckentempo kreuz und quer durch die Gegend. Überall Fehlanzeige – aber dann!

Ins Bad hatte ich zunächst gar nicht reinschauen wollen, aber als zuletzt kein anderer Raum mehr übrig war, tat ich es doch. Es war wie so eine Art Ausrede, damit ich noch nicht ins Schlafzimmer musste. Der Kachelboden war voller Wassertropfen. Der Marrak hatte vor dem Schlafengehen geduscht. Das war ja schon mal was, fand ich, auch wenn er trotzdem ein Ferkel blieb, weil er seine muffige Bude nicht anständig lüftete. Seine Arbeitsklamotten lagen als dunkler Haufen unordentlich über den Boden verteilt. Fast hätte ich laut gejubelt: Der große Bund mit den vielen Sicherheitsschlüsseln hing an einer Gürtelschlaufe der Hose! Ich löste ihn so vorsichtig wie möglich, damit keins der hundert Teile anfing zu rasseln. Ein paar von ihnen fühlten sich gar nicht an wie Schlüssel. Eher wie Metallstücke, aus denen überall kleine Nippel und Noppen hervorragten. Wahrscheinlich öffnete man damit Geldschränke und dergleichen. Aber es waren die normalen Schlüssel, die ich brauchte.

An die zwanzig Stück musste ich draußen praktisch lautlos ausprobieren, bis ich den richtigen gefunden hatte und die niedrige Tür des weißen Häuschens auf Marraks Dachgarten endlich nach außen aufschwang.

Ich war längst nass geschwitzt vor Angst.

Im Treppenhaus herrschte lausige Kälte. Mir zog sich alles zusammen. Es war, als hätte jemand eine Gruft geöffnet. Je tiefer ich die ausgetretenen Stufen hinunterstieg, umso unheimlicher wurde mir zu Mute. Die mit weißlichem Schimmel bedeckten Stufen knirschten und knarzten unter meinen unsicheren Füßen. Aus den dreckigen, feuchten Wänden ringelten sich schleimtriefende Würmer nach draußen, und das Stöhnen gemarterter Seelen aus den Folterkammern unter den tiefen Kellern bohrte sich mit spitzen Krallen in meine Trommelfelle.

Also, so war das jedenfalls mal in einem Horrorfilm gewesen, den Frau Dahling irgendwann aus Versehen mitgebracht hatte. Ich hatte ihn toll gefunden und unbedingt zu Ende sehen wollen, im Gegensatz zu Frau Dahling, die ihr Gesicht die ganze Zeit hinter einem ihrer Plüschkissen versteckte und immer nur kurz rausgeguckt hatte, um sich ein neues Müffelchen zu schnappen. Ich wusste echt nicht, warum sie sich so anstellte. Wenn der *Musikantenstadl* lief, guckte sie schließlich auch die ganze Zeit hin.

Nein, im Treppenhaus war es zwar wirklich sehr kalt und wegen der vernagelten Fenster so dunkel, als hätte mir jemand ein Tuch vor die Augen gebunden. Aber Angst machte mir das nicht. Na ja, ein bisschen. Ich musste vor allem darauf achten, dass mir nicht alle möglichen gruseligen Sachen einfielen. Und das war leicht. In den letzten Stunden hatte ich so viel nachgedacht, dass mein Kopf sich anfühlte wie eine Waschmaschine im Schleudergang. Worauf ich viel eher achten musste, war, in dieser Finsternis keinen falschen Schritt zu machen. Das Hinterhaus war nach der Gasexplosion nicht ohne Grund abgesperrt worden. Einsturzgefährdet bedeutete, dass jede Treppenstufe mir unter den Füßen und jede Wand, gegen die ich mich stützte, unter meinen Händen wegbrechen konnte.

Andererseits hatte der Bühl damit bisher offenbar auch keine Probleme gehabt. Und im Gegensatz zu ihm, der jedes Mal aus dem Keller raufstapfen musste, hatte ich es weniger weit. Vom weißen Häuschen aus gelangte ich einigermaßen rasch direkt in den fünften Stock, runter in den dritten waren es gerade mal vier Treppen.

Dort wieder Schlüsselgefummel. Damit hatte ich gerechnet. Ohne Taschenlampe oder sonstige Beleuchtung war das der schwierigste Teil, aber diesmal ging es sogar schneller als oben auf dem Dach. Nur eine Handvoll Versuche, und plötzlich stand ich in der Wohnung vom toten Fräulein Bonhöfer. Dieser Schlüsselbund aus Marraks Sicherheitsfirma war ein wahres Wunderding.

Ich drückte die Tür hinter mir zu und rief leise und nervös Oskars Namen. Keine Antwort. Er musste in einem der hinteren Zimmer versteckt sein. Bestimmt lag er geknebelt und total bewusstlos in irgendeiner Ecke, die nur mit Heu und Stroh ausgelegt war.

Die Wohnung war komplett leer geräumt. Keine Möbel, keine Geister, nichts. Es roch nach Staub und Ruß, und außerdem schwebte da ein schwacher Duft in der Luft wie von diesen hübschen, kleinen lila Blumen. Veilchen. Das musste der Parfümgeruch von Fräulein Bonhöfer sein. Er hatte nicht nur die Gasexplosion und den Wohnungsbrand, sondern auch all die vielen seither vergangenen Jahre überlebt. Keine Ahnung, warum, aber der Gedanke machte mich richtig traurig.

Ich schlich durch den Flur, an einem Klo, der Küche und dem ersten Zimmer vorbei. Nichts und niemand darin. Von draußen fiel verwaschenes Licht durch die schmutzigen Scheiben. Ich kriegte fast einen Herzinfarkt, als ich durch eines der Fenster auf die gegenüberliegende Fassade dem Bühl fast genau in seine hell erleuchtete Küche gucken konnte. Von dem Drecksack selber keine Spur, aber auf dem Herd dampfte es aus einem kleinen Topf. Den würde der Bühl sicher nicht unbeaufsichtigt lassen, falls er vorhatte, noch mal nach Oskar zu sehen. Aber vielleicht kochte er ihm was zu essen.

Ich musste mich beeilen.

In der Wohnung nebenan, bei Fitzke, waren die Vorhänge zugezogen. Dahinter brannte eine Lampe. Ich fragte mich, was der alte Stinker um diese Uhrzeit noch in seiner Wohnung trieb. Bestimmt sortierte er seine Kinderkopfsammlung.

Der Flur endete vor dem Durchgangszimmer in den hinteren Teil der Wohnung.

Abgeschlossen.

Schlüssel ausprobieren.

Erfolg nach dem neunten Versuch.

Tür auf und rein.

Jetzt sah ich durchs Fenster schräg nach unten mein eigenes Zimmer liegen. Es war natürlich dunkel, aber plötzlich kam mir der total gruselige Gedanke, wie ich wohl reagieren würde, wenn da unten plötzlich das Licht anging und ich Rico sehen könnte, der von seinem Fenster aus ängstlich zu mir rüberguckte, weil er in diesem Moment meinen Tieferschatten sah.

Mann, Mann, Mann!

Wenn ich der Bühl wäre, hätte ich dieses große Fenster abgehängt oder vernagelt, dachte ich. Dann fiel mir ein, dass sofort jeder im Vorderhaus das bemerkt hätte. Also lieber den Schutz der Nacht abwarten und Tieferschatten spielen. Bis heute hatte das ja auch prima geklappt. So ein gerissener Kerl!

»Oskar?«

Immer noch keine Antwort.

Ich wurde immer nervöser. Langsam gingen mir die Zimmer aus. Aber nicht die Schlüssel. Auch mit der nächsten Tür wurde ich spielend fertig. Dass sie abgeschlossen gewesen war, ließ mich hoffen. Ich drückte sie behutsam auf. Rabenschwarze Schwarzschwärze. Das wenige Mondlicht aus dem Durchgangszimmer reichte nicht aus, um den Raum bis in den hintersten Winkel auszuleuchten.

»Oskar?«

Ich stapfte blindlings drauflos, fünf, sechs Schritte. Dann passierten zwei Dinge gleichzeitig: Der Veilchenduft von Fräulein Bonhöfer verwandelte sich in den Geruch von einem Cheeseburger Royal. Und ich knallte mit einem Knie und der Stirn dermaßen heftig gegen eine Wand, dass ich gedämpft aufschrie und fluchte.

»Du hast meinen Flieger gefunden, stimmt's?«, sagte eine Stimme.

Knie und Stirn waren sofort vergessen. Vor Erleichterung musste ich so breit grinsen, dass ich dachte, meine Mundwinkel würden sich über meinem Kopf treffen.

»Aber nur durch Zufall«, antwortete ich. »Er war schon im Müllcontainer gelandet.«

»Und danach warst du bei Sophia.«

»Ja, aber sie hat mir nichts erzählt. Aus Angst um dich. Ich hab alles ganz allein durch Nachdenken rausgefunden.«

Na ja, immerhin fast alles. Von Sophias unbeabsichtigtem

Tipp mit dem Klimpermann konnte ich später noch erzählen. Vorläufig war ich damit zufrieden, Oskar endlich mal richtig beeindrucken zu können.

»Ich bin froh, dass du da bist«, sagte seine Stimme. »Woher hast du die Schlüssel?«

»Dem Marrak geklaut.«

»Ganz schön clever. Okay, schließ jetzt erst mal die Tür wieder ab.«

»Warum?«

»Weil ein Schaltkontakt eingebaut ist, damit kein Licht von hier drinnen nach draußen fallen kann. Das Licht geht nur dann an, wenn die Tür abgeschlossen ist.«

»Ach, so was gibt's?«

»Ist ähnlich wie bei einem Kühlschrank, nur umgekehrt.«

Sich etwas umgekehrt vorzustellen ist immer sehr schwierig, vor allem dann, wenn man richtig herum schon Schwierigkeiten damit hat. »Willst du damit etwa sagen«, überlegte ich laut, »dass in einem Kühlschrank kein Licht brennt, wenn er zu ist?«

Oskar stöhnte leise auf.

»Bist du verletzt?«, fragte ich besorgt.

»Schließ einfach die Tür zu«, kam es zurück.

Es dauerte eine Weile, bis ich unter mordsmäßig viel Geklimper den Schlüssel wiedergefunden hatte, mit dem ich hereingekommen war. Oskar wartete ab, ohne ein weiteres Wort zu sagen.

Als es hell wurde und ich ihn durch zusammengekniffene

Augen endlich sah, konnte ich zuerst kaum glauben, dass er ein Entführungsopfer war. Er hockte auf einer ausgeleierten alten Matratze, um die herum unzählige Tüten und Verpackungen von McDonald's verstreut lagen und dutzende von leeren Colaflaschen. Was für ein Schweinestall! An die Wände hatte der Bühl dicke Polster angebracht. Sie sahen aus wie mit Watte gefüllt, ebenso die Zimmerdecke, von der eine armselige nackte Energiesparbirne baumelte. So was hatte ich schon mal in einem Krimi gesehen. Schallschutz – wenn man hier drin herumbrüllte, hörte das draußen keiner.

Die Polsterung war hellgrün. *Das grüne Zimmer,* dachte ich, und zum ersten Mal, seit ich aufgebrochen war, lief mir ein echter eiskalter Schauer über den Rücken.

Oskar selber sah tadellos aus. Gut, er war schließlich auch erst seit gestern hier eingesperrt. Aber irgendwie hatte ich ihn mir in zerrissenen Klamotten vorgestellt, mit dreckigem Gesicht und so weiter. Ohne seinen blauen Helm wirkte er merkwürdig schutzlos und die Segelohren waren wirklich wahnsinnig groß, aber das war's auch schon. Das einzig Ungewöhnliche an ihm war die kurze Kette, mit der sein rechter Arm an eine dicke stählerne Öse befestigt war. Die ragte über ihm aus der Wand – so hoch über ihm, dass Oskar sich unmöglich hinlegen konnte. Er hatte im Sitzen schlafen müssen.

Das war der zweite eiskalte Schauer.

Verstohlen blickte ich mich nach einem Klo um. Irgendwo musste eins sein, sonst hätte der Raum nicht nach Cheeseburgern, sondern nach Pipi gerochen.

»Es ist da vorne im Flur, hinter der Wohnungstür«, sagte Oskar, als hätte er meine Gedanken gelesen. »Genauso abgedichtet wie dieser Raum.«

Das war es also, genau, wie ich es mir gedacht hatte. Wann immer der Bühl ein Kind zum Klo begleitet hatte, waren die Tieferschatten durch die Wohnung von Fräulein Bonhöfer gehuscht!

Oskar strahlte mich aus grünen Augen und mit seinen großen, ungeputzten Zähnen an – noch so eine Schweinerei vom Bühl –, und auf einmal kam ich mir vor, wie ein großer Bruder sich vorkommen muss. Vor lauter Stolz kriegte ich einen knallroten Kopf. Ich hatte Oskar gerettet! Jedenfalls schon ungefähr zur Hälfte.

»Was ist das für eine Kette?«

»Qualitätsstahl, denke ich«, sagte Oskar. »Wahrscheinlich unlegiert, also mit einem Gehalt von weniger als 0,8 Prozent Mangan und 0,5 Prozent Silizium. Wäre jeweils mehr davon enthalten, dann –«

»Reicht schon! Wie soll ich dich davon loskriegen?«

Er hob den rechten Arm. Der Bühl hatte das andere Ende der kurzen Kette an einer Handschelle befestigt. »Der Schlüssel dazu ist unter den anderen«, sagte Oskar.

»Unter welchen anderen?«

»*Bei* den anderen, du meine Güte! In deiner Hand.«

»Sag's doch gleich!«

»Lern du doch Deutsch!«

Normalerweise wäre ich sauer gewesen, aber ich riss mich

zusammen. Man wird wohl ein wenig bissig, wenn man gezwungen wird, dutzende von Hamburgern und Cheeseburgern und dergleichen zu essen. Bevor ich mich mit der Frage blamieren konnte, wie um alles in der Welt Oskar in so kurzer Zeit so viel Essen und vor allem so viel Cola in sich untergebracht hatte, ohne dass ihm braune Brühe aus der Nase lief, begriff ich, dass der Verpackungsmüll von allen sechs Opfern stammen musste.

Irgendetwas störte mich an diesem Gedanken – plötzlich war da wieder dieses nagende Gefühl, dass die Bingokugeln in meinem Kopf zwischen vorwärts oder rückwärts, rechts oder links, vorher oder nachher in die falsche Richtung gekullert waren. Aber ich kam genauso wenig dahinter wie beim letzten Mal, noch weniger sogar, denn jetzt musste ich mich auf Oskars Befreiung konzentrieren.

Der gesuchte Schlüssel war schnell gefunden, es war der kleinste von allen. Ich schloss die Handschelle auf. Oskar streifte sie ab und rieb sich das Handgelenk. Als er von der Matratze aufstand, knackten seine Knie und ihm entfuhr ein winziger Schmerzenslaut.

»Hast du die ganze Zeit einfach nur rumgesessen?«, fragte ich.

»Was heißt hier einfach?« Er musterte sein wundgescheuertes Handgelenk und auf seiner Stirn erschien eine senkrechte, verärgerte Falte. »Sitzen ist eine extrem komplizierte Angelegenheit!«

DIE FLUCHT

Lieber Herr Wehmeyer,

ich will jetzt keine Beschwerden hören, dass ab diesem Kapitel Schluss ist mit lustig! Die folgenden Ereignisse waren dramatisch, und Sie können froh sein, dass ich sie hier im Krankenhaus überhaupt noch aufschreiben kann.

Machen Sie sich schon mal Gedanken um den Bonus.

Verhochachtungsvoll!

Ihr Frederico Doretti

Laufen war anscheinend weniger kompliziert als Sitzen, jedenfalls beschwerte Oskar sich nicht. Durch das Fenster in einem der Vorderzimmer vergewisserte ich mich im Vorbeigehen, dass beim Bühl noch Licht brannte. Tat es. Der Kinderzerschnibbler war sogar zu sehen. Er holte sich gerade was zu trinken aus seinem Kühlschrank und quatschte dabei in sein Handy. Womöglich beschimpfte er wieder Oskars Papa. Umso besser. Wenn Oskar und ich jetzt nicht das Hinterhaus zum Einsturz brachten, konnten wir unbemerkt abhauen und die Polizei verständigen. Anders als mir würden sie Oskar ja wohl glauben, wenn er leibhaftig vor ihnen stand. Wir mussten uns bloß beeilen, bevor der Bühl sich an die Pfifferlinge erinnerte.

Im vernagelten Treppenhaus angekommen, nahmen wir uns bei den Händen. Ratzeduster, schon wieder. Als ich die erste Treppenstufe zum weißen Häuschen auf dem Dach nahm, zerrte Oskar mich heftig zurück. Es war komisch, seine Stimme zu hören, ohne ihn sehen zu können.

»Bist du verrückt geworden?«, zischte er. »So laufen wir ihm ja direkt in die Arme!«

»Wir würden ihm in die Arme laufen, wenn wir nach unten gingen«, antwortete ich. »Schließlich kommt er durch den Keller!«

»Was für einen Keller?«

»Der, durch den er dich hier raufgebracht hat.«

Vielleicht lag es an der Dunkelheit, dass Oskar ausnahmsweise so schwer von Begriff war. Vielleicht, überlegte ich, sind Hochbegabte nur im Hellen richtig schlau.

»Wieso sollte er mich durch den Keller bringen?«, sagte Oskar.

»Weil er anders nicht ins Hinterhaus gelangt!«

»Das hast du doch auch geschafft!«

Langsam wurde es nervend. Während wir hier herumblubberten, rückte womöglich der Bühl an.

»*Ich* bin ja auch über den Dachgarten vom Marrak gekommen«, erklärte ich mit erzwungener Geduld. »Durch das weiße Häuschen, erinnerst du dich? Mit den Schlüsseln vom Marrak. Wie sollte der Bühl an die rankommen?«

»Der Bühl?«, erklang Oskars Stimme verständnislos. »Was hat das denn mit dem Bühl zu tun?«

Und das war der dritte eiskalte Schauer. Es war auch das dritte Mal, dass das Gefühl zurückkehrte, mit meinen Gedanken irgendwann eine falsche Richtung eingeschlagen zu haben – nur nagte das Gefühl jetzt nicht mehr an mir herum, sondern es schnappte unbarmherzig zu. Ich war ein Vollidiot! Ich war der tiefbegabteste Tiefbegabte, der je ein Förderzentrum von innen gesehen hatte! Mein Fehler hatte nichts mit rechts oder links zu tun, mit vorwärts und rückwärts. Er war allein *vorher* statt *nachher:* Der Bühl wohnte gerade mal seit einer Woche in der Dieffe! Die Tieferschatten hatte ich aber schon viel, viel früher gesehen – zum ersten Mal vor ein paar Monaten, als die Entführungen begonnen hatten. Warum und wie sollte der Bühl seine Opfer also hierher gebracht haben?

»Es ist der Marrak!«, flüsterte ich erschüttert. »Sicherheitsmanagement mit … irgendwelchen Schwerpunkten!«

»Darüber bin ich ihm auf die Spur gekommen«, sagte Oskar. »Sophia konnte sich an seinen klimpernden Schlüsselbund erinnern. Und an seinen roten Arbeitsanzug mit dem goldenen Tresor drauf.«

»Und Sophia selber«, sagte ich. »Wie hast du die überhaupt gefunden?«

»Hab mich nach ihr durchgefragt, an allen Tempelhofer Grundschulen.«

»Warum sie? Warum nicht eins von den anderen Kindern?«

»Sie war das zweite Opfer. Und da waren die Fotos in den

Zeitungen. Sophia sah am ehesten aus, als würde sie reden, falls sie etwas wusste.«

»Der Schlüsselbund und der rote Arbeitsanzug«, wiederholte ich leise. »Der Marrak. Mann, Mann, Mann! Sophia hätte es der Polizei sagen müssen!«

»Sie hatte Angst!«

»Die hat sie immer noch. Aber dann hättest wenigstens *du* es danach der Polizei sagen müssen.«

Oskar schwieg. Ich sah ihn vor mir, wie er mit Sophia redete. Wie Sophia ihm anvertraute, was sie nur einem anderen Kind anvertrauen konnte. Wie sie aus Glück und Dankbarkeit, endlich mit jemandem reden zu können, Oskar ihren kleinen roten Flieger schenkte. Wie Oskar sich den Flieger ansteckte, ein ebenso glücklicher kleiner Junge mit einem blauen Helm auf dem Kopf, der sonst keine Freunde fand, weil er zu schlau für diese Welt war.

»Ich hab ihr versprochen, sie nicht zu verraten«, murmelte Oskar. »Meine Mama hat immer gesagt, Versprechen darf man nicht brechen.«

Ich schluckte. Etwas drückte auf meine Schultern und gegen mein Herz, als hätte die Dunkelheit um uns herum ein Gewicht und eigene Hände bekommen. »Und dann?«, flüsterte ich.

»Dann hab ich mir aus dem Telefonbuch alle Schließdienste in Berlin rausgeschrieben«, fuhr Oskar fort. »Wochenlang hab ich sie jeden Nachmittag nach der Schule alle einzeln aufgesucht. Zuletzt fand ich den Marrak durch Zufall. Im Telefonbuch steht nur seine Handynummer, nicht die Adresse. Er fuhr bei einer anderen Firma für Schließdienste vor, die ich gerade beobachtete. Vielleicht besuchte er dort einen Kumpel. Ich stand auf der anderen Straßenseite, sah ihn aussteigen und wusste, ich hatte ihn. Jedenfalls fast. Er hielt sich nicht lange auf. Aber lang genug für mich, um in der Zwischenzeit ein Taxi anzuhalten und ihm zu folgen.«

»Hey, ich bin auch Taxi gefahren!«

»Aber du bist nicht unterwegs rausgeflogen, oder? An einer roten Ampel drehte der blöde Fahrer sich zu mir um und wollte wissen, ob ich überhaupt bezahlen kann. Ich hatte zu wenig Geld dabei und er weigerte sich weiterzufahren. Das war in der Urbanstraße. Weiter vorn sah ich den Marrak blinken und in die Grimmstraße abbiegen. Ich bin dann zu Fuß hinterher. Sein Auto war in der Dieffe geparkt, aber ich wusste nicht, in welches Haus er verschwunden war. Ich wartete. Etwa zwei Stunden später verließ er die Nummer 93. Jetzt gab es zwei Möglichkeiten. Entweder hatte er nur einen Kunden besucht …«

»… oder er wohnte dort«, sagte ich. »Stimmt doch, oder? Und um das rauszufinden, bist du in der Dieffe herumgeschlichen. Und hast dabei mich getroffen.«

Ich sah Oskar nicht, aber ich spürte, dass er nickte. Ich spürte außerdem einen bitteren Geschmack im Mund.

»Du hast mich benutzt, um ins Haus zu kommen! Um dort nach dem Marrak zu suchen! Um rauszukriegen, ob er hier wohnt!«

Wieder keine Antwort. Ich sagte auch nichts mehr. Das Schweigen breitete sich um uns aus wie eine tintenschwarze Pfütze. Wir hätten abhauen sollen. Stattdessen standen wir in einem einsturzgefährdeten Treppenhaus, sahen die Hände vor Augen nicht und uns fehlten alle Worte – mir vor Enttäuschung und Oskar, weil er nicht wusste, wie er sich entschuldigen sollte.

»Am Anfang«, sagte er endlich und machte wieder eine kleine Pause. »Am Anfang warst du mir egal. Da wollte ich wirklich nur ins Haus kommen. Aber oben auf diesem Dachgarten –«

»– wo du endlich gefunden hattest, was du wolltest –«

»– da tat es mir leid, dass ich dich ausgenutzt hatte. Ich mag dich, Rico! Du bist mein einziger Freund. Du warst noch nie gemein zu mir, und du hast dein Leben riskiert, um mich zu finden.« Die letzten Worte waren ein Flüstern: »Riskierst es noch.«

Ich grummelte ein bisschen. Einen anderen Freund als Oskar hatte ich auch nicht. Es ist merkwürdig, dass die Leute mit einem nicht so Schlauen praktisch genauso wenig anfangen können wie mit einem nicht so Dummen. Ich dachte an den Nachmittag auf dem Dachgarten und wie Oskar seine warme Hand in meine gelegt hatte. Das war sehr schön gewesen, und keine Lüge. Ich hätte es gespürt.

»Wie hast du dich entführen lassen?«, sagte ich schließlich.

Ich hörte ein erleichtertes Einatmen. »Das war einfach. Ich hatte es eigentlich sowieso für den Dienstagmorgen vorgehabt, es mir dann aber anders überlegt, weil ich versprochen hatte, dich zu besuchen.«

»Ohne Helm?«, sagte ich ungläubig.

»Ich habe weniger Angst, wenn du bei mir bist«, murmelte Oskar leise und sprach dann rasch weiter, als wäre ihm das peinlich. »Mit der U-Bahn fuhr ich zum Kottie und bin von dort Richtung Dieffe gelaufen. Aber in der Grimmstraße kam mir der Marrak entgegen und stieg in sein Auto.«

Mir wurde ganz schwindelig. Ich hatte durchs Wohnzimmerfenster den Marrak aus dem Haus gehen sehen! Keine Minute später hatte er Oskar getroffen, oder Oskar ihn.

»Es war eine Gelegenheit, die ich mir nicht entgehen lassen konnte!«, sagte Oskar. »Also fragte ich ihn, ob er mich mitnehmen könne – mein Papa sei letzte Nacht nicht aus der Kneipe nach Hause gekommen, ich würde ihn suchen und so weiter, ehm … Was man sich halt auf die Schnelle so ausdenkt.«

Oder was man schon ein paarmal erlebt hat, dachte ich.

»Jedenfalls nahm er mich mit. Es dauerte nur drei Ampeln. Dann hatte ich ihm Papas Telefonnummer untergejubelt und der Marrak sprühte mir was ins Gesicht. Aufgewacht bin ich erst wieder nachmittags, als er mich in seiner Wohnung aus dem Wäschesack zerrte. Ich war geknebelt und gefesselt und ziemlich wuschig im Kopf, aber ich hatte –«

»Du warst in seinem Wäschesack?«

»Glaube schon. Sah aus wie einer.«

Ich wusste nicht, was mich schlimmer aus der Fassung brachte: dass der Marrak, nachdem er Oskar vormittags betäubt und irgendwo unbeobachtet verpackt hatte, erst noch in aller Seelenruhe bis nachmittags seiner Arbeit nachgegangen war. Oder dass ich ihm im Treppenhaus begegnet war und mich mit ihm unterhalten hatte, während zu unseren Füßen Oskar im Wäschesack verpackt gewesen war. Das, beschloss ich, würde ich Oskar erst sehr viel später erzählen. Der Schock war schon für mich fast zu groß – davon, dass der Marrak in Wirklichkeit womöglich gar keine Freundin hatte, die ihm die Wäsche und dergleichen machte, ganz zu schweigen.

»Jedenfalls hatte ich es inzwischen irgendwie geschafft, einen Arm freizukriegen«, erzählte Oskar weiter. »Tja, und als der Marrak mich zum weißen Häuschen schleifte, erkannte ich es wieder, riss mir unbemerkt den roten Flieger vom Hemd und warf ihn über die Brüstung.«

»Aber warum? Spätestens wenn dein Papa das Lösegeld für dich bezahlt hätte, wärst du freigelassen worden vom Marrak. Dann hättest du gegen ihn aussagen können, und alle hätten dir glauben müssen.«

Eine Weile lang hörte ich Oskar nur atmen. »Ich war mir nicht sicher«, sagte er schließlich leise, »ob mein Papa das Geld … ob er es schnell genug zusammenkriegen würde. Und so weiter.«

Der letzte Satz klang so abgrundtief traurig, als wäre Oskar sich auch nicht sicher gewesen, ob sein Papa das Lösegeld überhaupt für ihn bezahlte.

»Nur für diesen Fall«, sagte er, immer noch leise, »warst du meine einzige Hoffnung. Sie war zwar nur winzig klein, aber offenbar groß genug.«

Wieder entstand eine Pause.

»Lange Geschichte«, ertönte über uns eine Stimme. »Aber danke für die überaus aufschlussreiche Beschreibung!«

Eine Taschenlampe leuchtete blendend auf.

Oskar und ich kreischten gleichzeitig los. Wir rannten auch gleichzeitig los – über die Treppe nach unten. Der Marrak, der uns von ein paar Stufen weiter oben die ganze Zeit belauscht hatte, polterte sofort hinter uns her, was eine komische Art von Glück war, denn seine Taschenlampe erhellte nicht nur ihm, sondern auch uns den Weg. Wir sprangen, polterten und krachten durch das Hinterhaus und ich fragte mich, welcher Schwachkopf es jemals für einsturzgefährdet erklärt hatte – es hielt bombenfest.

Unten angekommen, standen wir vor der verschlossenen Tür zum Hinterhof. Ich drückte Oskar den Schlüsselbund in die Hand. Er war schlauer als ich.

»Mach du!«, zischte ich. »Ich lenk ihn ab!«

Der Marrak schlug hinter uns auf wie ein Turmspringer im Schwimmbad bei einer Arschbombe. Seine Taschenlampe fiel krachend zu Boden und rollte davon. Staub wirbelte auf. Im Lichtschein sah ich Oskar bewegungslos neben mir stehen, als wollte er ausgerechnet jetzt ausprobieren, wie sich ein Baum oder eine Verkehrsampel oder dergleichen fühlt. Erstarrt vor Angst nennt man das wohl. Hinter ihm klebten drei Schatten auf der Wand, zwei kleine und ein riesig großer.

»Endstation!«, stellte der Marrak fest.

Wenn man Wut wiegen könnte, wog seine mindestens eine Tonne oder noch mehr. Jedenfalls locker an die fünfzig Kilogramm. Ich hatte keine Ahnung, wie ich ihn aufhalten sollte, um uns Zeit zu verschaffen und Oskar aus seiner Starre zu lösen. Aber irgendwas musste mir einfallen. Ich spürte, wie die Bingomaschine in mir langsam anlief. Wenn ich noch fünf Sekunden länger wartete, war alles zu spät. Also warf ich ihm die erstbeste Frage, die mir einfiel, wie einen Bremsklotz vor die Füße, auch wenn ich sie ihm lieber gemütlich bei einer Tasse Kaffee oder dergleichen gestellt hätte. Am besten mit Gittern zwischen uns, in irgendeinem ausbruchsicheren Gefängnis.

»Warum haben Sie Oskars Vater nach der Entführung angerufen, statt einen Brief zu schreiben, so wie sonst?«

Der Marrak funkelte mich böse an, aber seine Antwort kam wie aus der Pistole geschossen. »Damit es schneller geht«, knurrte er. »Damit ich diese neunmalkluge Nervensäge so schnell wie möglich loswerde!«

Oskar zuckte in seiner Erstarrung nicht mal mit der Wimper, als das bullige Gesicht seines Entführers sich direkt vor seines schob.

»Du bist das mit Abstand fürchterlichste Kind, das mir je

über den Weg gelaufen ist!«, schnaubte der Marrak ihn an. »Weißt du, als was man dich noch im Mittelalter angesehen hätte? Als eine Missgeburt! Als eine Strafe Gottes! Gören wie dich hätte man vor vierhundert Jahren auf dem Scheiterhaufen öffentlich verbrannt!«

»Das Mittelalter«, sagte Oskar verächtlich, »endete vor über fünfhundert Jahren. Danach begann die Renaissance, Sie Knallkopf!«

Ich kannte keine Renaissance, aber sie musste schrecklich gewesen sein, denn der Marrak zuckte zurück. Einen Moment lang befürchtete ich, er würde Oskar eine scheuern. Stattdessen setzte er plötzlich das liebenswerteste Gesicht aller Zeiten auf. In Krimis ist das immer ein Zeichen dafür, dass der Täter nicht alle Tassen im Schrank hat. Der Marrak, so viel stand für mich inzwischen hundertprozentig fest, hatte nicht mal einen Schrank.

»Eigentlich mag ich Kinder!«, sagte er mit zuckersüßer Stimme. »Ich mag sie sogar sehr. Ihre Eltern sollten bloß ein bisschen besser auf sie aufpassen, mehr wollte ich gar nicht. Böse Welt da draußen. Das Geld war mir egal. Doch, doch, ist schon so, ich mag Kinder. Sogar behinderte!«

Jetzt drehte er sich ruckartig um und wandte sich mir zu. Über seine Schulter hinweg sah ich erleichtert, wie endlich Bewegung in Oskar kam, als hätte er nur darauf gewartet, erst mal ein bisschen mit dieser Renaissance angeben zu können, bevor er loslegte. Er begann behutsam und lautlos am Schloss herumzufummeln.

»Aber ich mag auch meine Freiheit!«, pustete der Marrak mir mitten ins Gesicht. Sein Grinsen war so schief, als hätte man eine Clownsmaske in der Mitte durchgeschnitten. »Du hättest deine neugierige Nase nicht in meine Angelegenheiten stecken sollen, Rico Doretti! Jetzt, befürchte ich, muss ich sie dir leider abschneiden.«

Er machte einen Schritt auf mich zu.

Ich runzelte die Stirn.

Das ging so nicht.

»Ihre Reihenfolge ist falsch«, sagte ich.

Der Marrak hielt verdutzt inne. »Was für eine Reihenfolge?«

»Die mit dem Abschneiden. Erst sind nämlich die Ohren dran.« Ich begann aufzuzählen, mordsmäßig stolz, mir alles behalten zu haben, was ich von Felix wusste. »Entführer schneiden einem *immer* zuerst die Ohren ab, und zwar beide. Dann eine Hand, anschließend den —«

»Du behinderter kleiner Schwach—«

»Unterbrechen Sie mich gefälligst nicht!«

Also echt, da behält man sich endlich mal was, und dann kommt so einer! Ich war dermaßen wütend, dass ich immer weiterbrüllte.

»Anschließend den dazugehörigen Arm! Der andere muss dranbleiben, damit man Bettelbriefe schreiben kann! Aber ich sage Ihnen gleich, meine Mutter kann höchstens den Reichstag für Sie knacken! Und, ehm … fertig!«

Es hatte richtig gutgetan, den Marrak anzuschreien, auch

wenn ich rückblickend leider sagen muss, dass meine Aussage nicht besonders intelligent gewesen ist. Wenn es bei Mama nichts zu holen gab, konnte er mir nämlich auch gleich beide Arme abrunkeln, bevor er sich an die Beine machte. Zu meinem großen Glück blieb ihm aber keine Zeit, um selber auf diese Idee zu kommen.

Hinter mir ertönte ein Klacken.

Die Tür flog auf. Bleiches Mondlicht ergoss sich wie Milch ins Treppenhaus. Ich schoss am Marrak vorbei wie der Blitz. Wäre Oskar nicht so klein, hätte ich ihn vielleicht nicht übersehen. Keine Ahnung, warum er nicht gleichfalls einfach losgehetzt war, sogar mit Vorsprung, aber er schien auf mich zu warten. Mitten im Türrahmen rannte ich ihn über den Haufen.

Wir stürzten beide. Ich schlug heftig neben Oskar auf dem Hinterhof auf, schlitterte mit einem Unterarm über den rissigen harten Untergrund und wusste, dass er blutete. Etwas Schweres trat mir schmerzhaft in den Bauch und ein Aufschrei erklang, als der Marrak über mich stolperte und wie ein gefällter Baum zu Boden krachte. Neben mir rappelte Oskar sich auf und streckte eine Hand nach mir aus. Ich packte danach und kam stöhnend hoch.

»Weiter, schnell!«, keuchte ich.

Wir jagten wieder los, Oskar vor mir her, mit einem Kreischen, das selbst den angebundenen griechischen Helden O – also, das war der mit dem Holzpferd und der belagerten Frau – von seinem Schiffsmast gerissen hätte. Ich war schneller als Oskar, überholte ihn und kam als Erster an der großen Tür zum Vorderhaus an.

An der großen *klemmenden* Tür!

Ich drückte beide Hände auf die Klinke und zerrte mit aller Kraft an dem Flügel, der sich eigentlich öffnen sollte, doch der rührte sich kaum, gerade mal drei oder vier Zentimeter! Der entstandene Spalt war selbst für Oskar zu schmal, um durchschlüpfen zu können.

Ich wirbelte herum, die harte Tür im Rücken. Neben mir presste Oskar sich an mich und umklammerte meine Hüften. Im Mondlicht sah ich, dass der Marrak wieder auf die Beine gekommen war. Er glotzte uns aus wilden Augen an und stürmte im nächsten Moment auf uns zu wie ein tobsüchtiger Stier.

»Polizei!«, schrie eine Stimme über uns. Mein Kopf schnellte hoch. Oben, im vierten Stock, stand der Bühl im Fenster, eine Pistole in der ausgestreckten rechten Hand. »Bleiben Sie stehen, oder ich muss von der Schusswaffe Gebrauch machen!«

Aber der Marrak hatte uns längst erreicht. Er türmte sich über Oskar und mir auf, ein schreckliches Gebirge aus Kraft und Zorn. Ich legte Oskar schützend meine Hände um den Kopf, zog meinen eigenen zwischen die Schultern und starrte dem Marrak fest in die Augen. Leider beherrschen Mama und Oskar diesen Trick irgendwie besser als ich. Er funktionierte überhaupt nicht.

Das Letzte, was ich hörte, war ein unmenschliches Brüllen. Das Letzte, was ich sah, waren zwei Dinge, die vom Himmel runterkamen, eins über mir und das andere über dem Marrak. Was über mir runterkam, war Marraks geballte Faust. Er traf mich damit voll an die rechte Schläfe, und während ich langsam umkippte und mir schwarz vor Augen wurde, verzog der Marrak völlig verblüfft das Gesicht, griff sich an die blutende Stirn und kippte ebenfalls um.

Millionen Jahre später kam ich wieder zu mir. Ich wurde durch den Hausflur getragen. Ich guckte hoch und sah das Gesicht vom Bühl, der mich in seinen Armen hielt. Jemand drückte die Haustür auf, wahrscheinlich der Mommsen. Jemand schluchzte, wahrscheinlich Frau Dahling. Jemand plapperte aufgeregt irgendetwas, wahrscheinlich Oskar. Flackerndes rotes Licht erhellte die Straße vor der Dieffe 93, aber ich guckte immer noch rauf zum Bühl. Es war wie im Traum, ich hörte mein eigenes, kaum hörbares Flüstern, und der Bühl drückte mich fest an seine Brust und er verstand jedes Wort.

»Eines Tages fuhr mein Papa mit Freunden in einem Boot raus, vor die Küste von Neapel. Es war ein stürmischer Herbsttag. Die Wellen wogten hoch und schwarz, und weißer Schaum tanzte auf ihren Kronen. Mein Papa warf seine Angel aus. Ein sehr großer Fisch biss an, da entbrannte ein Kampf auf Leben und Tod. Der Fisch gewann. Er zerrte Papa über Bord. Mein Papa ertrank im tiefen blauen Meer.«

SCHÖNE AUSSICHTEN

Eben hat Mama mich hier im Krankenhaus besucht. Alle anderen dürfen noch nicht zu mir: der Bühl nicht, Frau Dahling nicht, Berts nicht. Der Kiesling und der Mommsen auch nicht, obwohl ich es nett finde, dass beide sich nach mir erkundigt haben. Selbst Oskar lassen sie nicht rein, ich sehe ihn erst morgen. Und alles nur wegen einer kleinen Gehirnerschütterung!

»Da unten lauert die Presse.« Mama stand an meinem Einzelbettzimmerfenster und guckte nach draußen. »Die stehen bis runter zum Landwehrkanal.«

»Werde ich jetzt berühmt?«

Sie seufzte. »Das wird sich nicht vermeiden lassen. Du und Oskar. Aber nur für ein paar Tage. Wir leben in einer schnellen Welt, die schnell vergisst.«

Als sie reingekommen war und mich ohne ein Wort vorsichtig in die Arme genommen hatte, hatte ich sofort angefangen zu heulen. Sie trug schwarze Sachen, in denen sie aussah wie ein kleines Stückchen Mitternacht, und ihr Gesicht war ganz bekümmert gewesen. Alles meine Schuld, hatte ich gedacht. Aber das stimmte nicht. Onkel Christian war gestern gestorben. Ich wusste, dass Mama sich nicht gut mit ihm verstanden hatte, aber immerhin war er ihr Bruder gewesen.

Mama war nur wegen mir nach Berlin zurückgekommen, für ein paar Stunden. Jetzt musste sie wieder nach unten links, wegen der Beerdigung und so weiter. Sie tat mir wirklich leid, aber ich freute mich auch ein bisschen, dass Onkel

Christian nun doch ohne mich in seinem Sarg liegen würde. Für ihn war es sicher auch bequemer.

»Weißt du, was das Verrückte ist?«, sagte Mama jetzt und kam vom Fenster zu meinem Bett, um sich auf den Rand zu setzen. »Das Verrückte ist, dass Christian mir alles vermacht hat. Er hatte sonst niemanden. Irgendwie traurig, findest du nicht?«

»Was heißt vermacht?«

»Vererbt. Sein ganzes Vermögen. Geld, Auto – alles.«

»Sind wir jetzt reich?«

»Wie man's nimmt. Er hatte auch dieses Haus …«

»Müssen wir jetzt etwa umziehen?«, rief ich erschreckt.

»Wir müssen nicht.« Mama streichelte meinen verbundenen Arm. Sie sah mir fest in die Augen. »Aber wir werden.«

Das war doch wohl die Höhe! Es ist schwierig, mit einer Gehirnerschütterung zu denken. Aber irgendwas in mir dachte ganz von alleine: dass ich Oskar als Freund verlieren würde, wenn ich auf der Karte nach unten links umziehen musste, und Frau Dahling und die Müffelchen. Dass ich ein anderes Förderzentrum besuchen würde, bevor der Wehmeyer jemals mein Ferientagebuch gelesen hatte. Dass das mit dem Bühl und Mama jetzt auf keinen Fall mehr klappen konnte und dass es unten links auch garantiert keinen Bingoclub gab. Wie hatte Mama eine solche Entscheidung treffen können, ohne mit mir darüber zu reden? Ich guckte sie empört an und fragte mich, was es da so doof zu grinsen gab.

»Weißt du, ich habe gehört«, sagte sie sehr langsam, »dass in einem gewissen Haus in der Dieffe ziemlich bald eine Wohnung frei wird. Oben im Fünften. Mit Dachterrasse und so weiter. Es heißt, die Aussicht über Berlin sei phänomenal.«

Es war wie Zerschmelzen.

»Dann wohnen wir über dem Bühl!«, stieß ich aus.

»Ja. Direkt über einem Polizisten.«

Es war mir immer noch furchtbar peinlich, dass ich mich im Bühl so vertan hatte. Aber wie hätte ich auch wissen können, dass er nicht nur Kriminalkommissar war, sondern auch noch mit den Entführungsfällen betraut? Deshalb hatte er den sechsten roten Kringel auf dem Stadtplan schon machen können, bevor die Öffentlichkeit von Oskars Entführung informiert worden war. Deshalb hatte er mit Oskars dämlichem Vater telefoniert und ihn am Handy beschimpft. Und deshalb hatte der Mann vom Notruf sich von mir verschiffschaukelt gefühlt – ich hatte versucht, ausgerechnet den ermittelnden Kommissar bei ihm anzuzeigen. Echt jetzt, da muss man doch selbst mit einem normal begabten Gehirn erst mal drauf kommen! Gut, vielleicht wäre Miss Jane Marple von allein darauf gekommen, sie ist einfach besser als ich. Aber dafür habe ich auch nicht so einen dicken Hintern, und demnächst kann ich ja den Bühl um Hilfe bitten, falls mal wieder jemand entführt wird.

»Findest du immer noch, dass er eine scharfe Schnitte ist?«, fragte ich Mama vorsichtig.

Vielleicht hätte ich das besser gelassen, denn da war sie

plötzlich wieder, diese Mischung aus Müdigkeit und Traurigkeit auf ihrem Gesicht, mit der sie schon letzten Montag nach dem Besuch vom Bühl im Nachdenksessel gesessen hatte. Nur dass diesmal ein ganz kleines Lächeln dabei war. Und obwohl Mama mir zum Abschied anstatt einer Antwort nur einen Kuss auf die Stirnbandage gab, spürte ich ein bisschen Hoffnung und Zuversicht und dergleichen.

So, das war's. Ab jetzt gibt es Ferien für das Ferientagebuch. Ich muss mich erst mal ausruhen, damit die Bingomaschine in Ordnung kommt. Den ganzen letzten Teil habe ich mit der Hand geschrieben, in das Heft, um das ich Mama gebeten habe. Nächste Woche, nach meiner Entlassung, muss ich alles noch in den Computer übertragen, wegen der Rechtschreibung.

ORTHOGRAFIE: Heißt Rechtschreibung in kompliziert. Es ist kein Wunder, dass ich Schwierigkeiten damit habe, weil rechts drin vorkommt. Es muss also auch eine Linkschreibung geben. Möge Gott mich davor beschützen!

Ich muss mich beeilen, gleich gibt's nämlich Abendessen, und wenn Schwester Leonie rauskriegt, dass ich den ganzen Nachmittag heimlich hier herumgekritzelt habe, gibt es Ärger. Sie ist toll und sieht klasse aus, wie eine Mischung aus Jule und Fußpflegerin Cindy, auch wenn ich natürlich ihren Busen noch nicht gesehen habe. Also weg mit dem Heft. Eigentlich hab ich jetzt auch alles erzählt, was es zu erzählen gibt.

Alles bis auf eines.

Die Frage aller Fragen nämlich bleibt, warum Fitzke in seiner muffigen Wohnung nicht nur *einen* großen Wackerstein aufbewahrt hat, sondern warum dort noch *hunderte andere Steine* herumliegen, kleine und große! Das stellte die Polizei nämlich fest, als sie ihn vernahm. Aber Fitzke wollte es keinem verraten, auch nicht dem Bühl, obwohl sie doch jetzt Nachbarn sind, und auch nicht denen von der Zeitung und vom Fernsehen, obwohl er jetzt ein Held ist, wie Oskar und ich, sozusagen die andere Hälfte. Ausgerechnet Fitzke! Aber nein, er blaffte bloß alle an, es sei ja wohl nicht verboten, Steine in seiner Wohnung aufzubewahren, und damit basta! Vermutlich hat er damit Recht, und ich bin immer noch erleichtert, dass es kein Kinderkopf gewesen ist, den er mitten in der Nacht runter in den Hinterhof gepfeffert und damit den Marrak genau auf der Rübe getroffen hat. Trotzdem glaube ich, dass Fitzke ein Geheimnis hat. Kein normaler Mensch sammelt Steine und wirft mitten in der Nacht den größten von allen zum Fenster raus – und das nicht etwa,

um den Marrak oder die beiden kreischenden Jungen zu treffen, die ihm die Nachtruhe versauten, sondern *aus anderen
Gründen,* hat Fitzke ausgesagt!

Mann, Mann, Mann!

Vielleicht sollte ich Oskar morgen davon erzählen.

Ja, ganz bestimmt werde ich Oskar morgen davon erzählen.

Rico und Oskar muss man einfach lieben!

Andreas Steinhöfel
Rico, Oskar und das Herzgebreche
272 Seiten
Taschenbuch
ISBN 978-3-551-31233-4

Andreas Steinhöfel
Rico, Oskar und der Diebstahlstein
336 Seiten
Taschenbuch
ISBN 978-3-551-31289-1

Rico ist wieder da! Und natürlich ist sein Freund Oskar mit von der Partie. Eigentlich gehört er praktisch schon zur Familie, also zu Mama und Rico in die Dieffe 93. Aber diesmal trägt Oskar keinen Helm, schließlich sind die beiden Freunde inkognito unterwegs. Und sie müssen sich nicht nur kriminalistischen Herausforderungen stellen ... Mann, Mann, Mann. Aber wie Rico so schön erklärt: Sellawie.

www.carlsen.de

Achtung, jetzt kommen die Schröders!

Andreas Steinhöfel
Paul Vier und die Schröders
160 Seiten
Taschenbuch
ISBN 978-3-551-35743-4

Die »Neuen« sind da! Weil die Schröders alles andere als eine normale Familie sind, ist in der gediegenen Ulmenstraße bald die Hölle los. Denn fast jeden Tag sorgt eins der vier Schröder-Kinder für Ärger und Aufregung in der Nachbarschaft. Nur Paul Walser, genannt Paul Vier, mag die Schröders. Aber auch er muss hilflos mit ansehen, wie sich die Ereignisse dramatisch zuspitzen.

Durch die Straßen von Berlin

Andreas Steinhöfel
Beschützer der Diebe
304 Seiten
Taschenbuch
ISBN 978-3-551-35665-9

Ein Zettel mit ein paar Zahlen und Buchstaben, darunter eine unregelmäßige Zickzack-Linie. Das ist alles, was Guddie, Olaf und Dags in den Händen haben, um eine zufällig beobachtete Entführung aufzuklären – die ihnen leider niemand glaubt. Unbeirrt machen sich die drei daran, den Fall zu lösen. Eine atemlose Jagd durch Berlin beginnt, die ganz nebenbei ein neues Licht auf ihre Freundschaft wirft ...

www.carlsen.de

Ein Bruder kommt selten allein

Wo die Brüder Andreas und Dirk auftauchen, ist bald nichts mehr, wie es war. Ob als Nikoläuse im Altenheim, als Spaghettimonster im eigenen Kinderzimmer oder als Hobbydetektive im Keller des Nachbarn - das Chaos ist vorprogrammiert. Und als auch noch Babybruder Björn hinzukommt, müssen die beiden sofort testen, ob er auch ihre Lieblingskekse mag. Das kann ja heiter werden!

Andreas Steinhöfel
Dirk und ich
144 Seiten
Taschenbuch
ISBN 978-3-551-35127-2

CARLSEN

www.carlsen.de